现代奇幻原典书系

The Well at the World's End

世界尽头的水井

[英] 威廉·莫里斯——著

廖珺 杨会平——译

下

華中科技大學出版社
http://www.hustp.com
中国·武汉

目　录（下册）

[第三卷]

踏上征程

Chapter 01

山下森林之探险一

此刻是午夜两点，终于到了约定的时间。拉尔夫全副武装地走出帐篷，径直走到枯橡树前，发现红头发只牵了一匹马前来，便知道他仍执意前往尤特堡。虽说此人是一介莽夫，拉尔夫还是擒住他的肩头，与其相拥。红头发屈膝向他跪了一会儿，便起身消失在茫茫夜色中。但拉尔夫没有耽搁片刻，骑上马小心地穿过大路，进入森林，那里再没有人可以阻挡他。夜色沉沉，此刻他一无所获，倒是马儿借着星光找到了一条小路，破晓之前还能再赶上一段路。另外，大约走了一英里的时候，拉尔夫发现林中树木变得越发稀疏，空地随处可见。

太阳即将升起，拉尔夫停在了其中一片空地，或曰林间草坪上。虽然还没有到达丛林深处，但他觉得再往里走，灌木丛将更为茂盛，于是他拉住马，四下环顾。他觉得自己听到一个声音，那声音没有毛榉树丛中松鸦的叫声清脆，却比晨曦林中风的哀鸣更为尖锐。拉尔夫俯下身，凝神侧耳倾听，这次他觉得自己听到的是一个女子的声音。凶境密林的前尘往事随之历历在目：曾经的激情、孤独的漫漫长夜，都让他魂牵梦萦。但是当那声音划过耳畔时，他对它多少有点怀疑。于是他抖抖缰绳，想着要尽快离开这里。

拉尔夫刚要策马离开，只见一个女人从前面的灌木丛中跑出，冲过草坪，直奔向他。于是他翻身下马，牵着马儿迎向她。当那个女人跑近时，拉尔夫看到了她的窘况。她为了跑得快些卷起了裙子，光着腿和脚，头巾也不见了踪影，一头乌黑的头发垂落下来。长袍的肩部和胸襟被撕裂了，一只破碎的袖子悬垂着，好像被人拉扯过。

那女人冲过来大声喊道："救命，骑士，救救我们！"说罢，便瘫倒在地上，气喘吁吁，低声啜泣起来。他弯腰扶她起来，用和善的声音问她："姑娘，什么事让你这么狼狈，我可以帮你吗？你逃成这样，是有人在追你吗？"

她站着呜咽了一会儿，接着抓住他的双手说道："噢，仁慈的大人，救救我的夫人吧！至于我，只要和你在一起，我便安全了。"

"好吧，"拉尔夫说道，"我是不是应该立刻上马？"他示意自己离开，无奈她仍拽着他的手，好像只有这样才能让她安心。一段时间她一言不发，只是热切地注视着他的脸。无疑她是个漂亮的女人，神情忧郁，皮肤光洁，体态轻盈……事实上，这正是我们之前提到的阿加莎。

拉尔夫在她的注视下有点尴尬，不禁移开了视线。不过，他还是注意到：这个女子跑过的森林里虽然荆棘遍布，她光着的腿却毫发无伤；那袖子撕裂处裸露的胳膊上，也没有一点伤痕。

阿加莎迟疑了许久，终于慢吞吞地开口，似乎还在考虑什么话她不得不说："噢，骑士，我以骑士宣言[①]的名义请求你前去救救我的夫人。我和她落入一群歹徒之手，我担心他们把她带走会让她蒙受耻辱，并饱受折磨。我逃走时他们正把她绑到树上，我之所以能逃脱，是因为他们手里有夫人，没有注意到身为婢女的我。""哦，"他说，"你的主人是谁？"少女说："红岩城夫人。我担心这些男人是尤特堡的恶徒，会为难她，毕竟她的丈夫和尤特堡的城主之间只有仇恨。"拉尔夫问："他们几个人？""噢，只有三个，先生，只有三个，"她说，"怎敌你英武强壮，如同战神莅临。"

"以一敌三胜算不大，"拉尔夫笑着说道，"但你若是把手放开，让我骑上马，我还是可以跟你去的。美丽的姑娘，你不骑在我后面吗？你这一夜多么疲惫劳顿啊！"

她好奇地盯着他，将一只手放在王子的胸前，这动作直引得她绣花外套下锁子甲的环佩叮铛作响。她说："不，我这样衣冠不整，还是走在马前给你带路吧。"

于是，她松开手，但目光仍然追随着他登上马鞍。待拉尔夫坐定，少女走在了马的一侧，然而她这时的举动却让王子万

---

① 骑士宣言：骑士在授勋骑士称号的时候，在领主与神的见证下宣布的誓言。（译注）

分不解。她来的时候匆匆忙忙，现在却颇有几分悠闲，她精心地挑选着道路，好让自己走在平坦的路上，避开那些崎岖不平的地方。

他们就这样往前走，穿过灌木丛时，她边走边优雅地把荆棘拨到一边，步子更加慢了下来。直到他们来到一片惬意的橡木林，只见那树下绿草如丝，风景优美。她转过身，面对着拉尔夫开始讲话，但那语气与之前截然不同，其中再也没有可怜和哀求，甚至有点欢乐和嘲弄。“骑士先生，”她说，“我有些话要对你说。这个地方很适合说话，离她不算很近亦不是很远，也很容易找到回去的路。现在，大人，我请你下马听我说。”接着，她便挨着橡树，坐在了草地上。

“但是夫人她，”拉尔夫说，“你的夫人？”“噢，先生，”她说，“我的夫人应该非常好。她没有那么快被绑起来的，紧急情况下，如有需要，她也许自己会松开绳子。下马来吧，亲爱的大人，快下马啊！”

然而拉尔夫仍稳坐马背，他不禁皱眉问道：“这是为何，姑娘，你在和我玩游戏吗？你要带我去找的夫人在哪里？如果这只是个游戏，我要走了，时间紧迫，我这里还有重要的差事。”

她起身走近拉尔夫，把一只手放在了他的膝盖上，神情惆怅地望着他说：“不下马就不下马吧，坐在马背上，我也能告诉你整个故事。只是在我看来，我一说完，你肯定扭头就走。”她又叹了口气。

这时拉尔夫因指责她而感到内疚，再如今看到她楚楚可怜、悲伤难过的样子则更为不忍。于是，他跳下马，把马拴在一旁的树上。随后便走过去站在少女身旁，此时的少女已躺卧在草地之上，拉尔夫对她说道："请把你的故事告诉我吧，如若无须相助，请让我离开。"

这时她开始讲了："关于红岩城的事，我确实撒谎了。还有，其实我的夫人是尤特堡的女主人，我是她的奴隶，奉命要把你从帐篷处引到这里来。"

愤怒之下他满脸通红，他想起自己自从离开爱普觅斯和凶境密林后，就一直在其他人的指引下东奔西走。但他一言不发，阿加莎则略有胆怯地看着他说："我是她的奴隶，所行之事皆是奉她之命。"拉尔夫粗声问道："那红头发呢，那个我从痛苦和死亡中解救出来的人呢，你认识他吗，你之前就认识他吗？"

"是的，"她说，"他从士兵和其他人那里打探有关你的消息，然后报告给我，之后我再告诉他该说什么。""噢，这样，"拉尔夫说，"这么说他也是个叛徒！""不，不是，"她说，"他很真诚，且爱护你，对你所讲的每一句话都发自内心。另外，我在此时此地告诉你，他口中有关尤特堡的事情，以及在尤特堡的所闻所见，都千真万确，毋庸置疑。"

这时，她跳起来站在他面前，双手合起说道："我知道你在寻找世界尽头的水井，想要搭救城主从山野人那里掠来的女子。我发誓，此去尤特堡你注定失败，处境将万分险恶。另外你贸然前往，还会给那女子带来奇耻大辱和无尽的折磨。"

拉尔夫说道："是吗，那她现在怎么样？告诉我。"

阿加莎说："她还不算特别糟糕。迄今为止，我的夫人并不恨她，或者说并不怎么恨她。我觉得，对那女子来说，更多的是恐惧，恐惧城主宠爱的方式。尽管她把他的欲望完全拒之门外，他对她也没有什么好威胁的，但那恐惧却无时不在。在尤特堡，之前还从没听说过这样的事情。也就是她，换一个女人，估计早就被严刑拷打，求生不得，求死不能了。”听到这里，拉尔夫不禁脸色发白，眉头紧蹙，问道：“你怎么知道尤特堡城主的私事，谁告诉你的？”她笑了，不紧不慢地说道：“我想知道的事情有很多人会告诉我。为了得到信息，有时我用我的智慧，有时我用我的身体。总之，我告诉你的是千真万确的：鉴于她的处境非常危险，甚至有致命危险，没错，倘若你即刻前往尤特堡，你，作为她的爱人……”“不，”拉尔夫生气地说，“我不是她的爱人，只是一个希望她过得好的人。”阿加莎低下头，紧皱眉头说道：“城主若是知道你对她这么关心，她马上就会遭受酷刑。是的，坦白地说，正是因为你的缘故（她对我来说无所谓），我更愿意看到，城主回到尤特堡时，她已经走了。”

“噢，”拉尔夫红着脸说道，“有没有希望她已经逃脱了？”“我觉得有可能。”阿加莎说。她沉默了一会儿，然后小声说：“听说见过她的男人都会爱上她，尽管她不会满足他们的欲望，但是你知道的，他们还是会对她好。也许现在她已经从尤特堡逃走了。”

拉尔夫神情迷惑地站了片刻，接着问：“你还没有告诉我为什么要这么做，为什么把我从帐篷里骗出来。告诉我，也许我会原谅你，然后继续赶路。”

她说：“我在你面前发誓这些全都是真的，事情是这样的：

我的夫人对你一见钟情——事实上所有女人都无一幸免。对于我来说，尽管我告诉夫人我已经见过你了，但在树林我们相见之前，我从没有见到过你。”

说到这里，她叹了口气，右手摆弄着她胸前撕裂的衣襟，接着说道：“她觉得把你作为尤特堡的囚徒抓来，只能控制你的身体，而无法得到你的爱。但是如果让你撞见她处于悲惨的境地，看到她饱受虐待，你很有可能会去解救她，这样至少你会同情她，接着也许会爱上她。就像之前一样，这种事情常常发生，毕竟我的夫人是位美艳的女人。于是，身为夫人侍女和奴隶的我，还有，请你记住，从未见过你的我，那会儿自告奋勇前来冒险，一如吟游诗人的故事。我也把这事通报给了城主，尽管他当着我的面对夫人冷嘲热讽，但还是同意了，因为他想让夫人把心思全放在你的身上。他害怕夫人的妒忌，也乐得摆脱她的纠缠，这样也就避免夫人和他新宠的女人争风吃醋，让他心爱的女人受苦。因此他表面上放了你，然后，等你在尤特堡重获自由之后（他确信你在这里），再找个合适的机会处置你。因为在他的内心深处，他恨你，这点我看得清清楚楚。在你离开帐篷不久之前，夫人和我就秘密地来到了森林中离此处不远的地方。在那里我把夫人和自己全都弄得衣冠不整，好演一出你看起来真实的戏。于是，一切看起来就像巧合一般，我先跑到你那里求救，然后再把你带回她那儿。如果你来了，会有一个故事等着你。而你呢，出于骑士的道义，很有可能不得不护送她去任何她想要去的地方，长久来说，那地方必定会是尤特堡，不过目前，应该只是尤特堡附近的一处坚固房屋。这就是整个故事，现在你可以原谅我，或者拔剑砍掉我的头。事实上我觉得后者更好。”

这时她在他面前跪了下来，双手合十，抬头恳求地望着他。他盯着她沉下了脸，但最终脸上的不悦还是消失了，他说：“姑娘，你不过是徒劳无功而已，你的游戏注定失败。你没有预计到我在尤特堡会发现所有的真相，这只会让我恨你的夫人而不是爱。”

“是的，”她说，“但是也许那时我的夫人对你已经日久生厌，也乐得让你落到城主手中。天哪！我让你避免了这些遭遇，也让你摆脱了城主、夫人和我。更何况，重申一次，我还帮你和那女子避免了在尤特堡险些发生的惨剧。”

“是的，”拉尔夫轻轻地说，好像是自言自语，“只是我又会陷入孤独无助。”接着他转向阿加莎说，“好吧，你得到了我的宽恕，而我也要马上离开。你们两个回到帐篷后，尤特堡城主又会立即搜捕我的。”

她站起身，走至他面前谦卑地说道：“不，我要回报你的宽恕，夫人那里我会编些故事骗她在森林里再逗留两三天。之前为了历险，我们准备了不少给养。”

拉尔夫说：“至少我应该因此感激你，并相信你会行如所言。”她说：“但我也想因此要点回报，因为本来在尤特堡我是有回报的。”

“这是你应得的。”拉尔夫说。她说：“回报就是你和我吻别。”

“但是你要听我说，”拉尔夫说，“我必须告诉你，我的吻不带有任何爱意。”

她什么都没说，只是把手放在王子的胸口，慢慢把脸迎了上去。于是，拉尔夫吻了她的唇。接着她说道：“骑士，你吻了一个奴隶、一个有罪的女人，她会因你而痛苦。由此，请不要吝惜你的吻或者懊悔你的善行。”

“你怎么会痛苦？”他问。她坚定地望着他片刻，然后说：“再见！愿你一切如意。”接着她转身慢慢走进森林，他有点可怜她，跨上马时不禁叹了口气。不过他对自己说：“我也是爱莫能助，事实上她可能已经深陷邪恶之中。我不是救世主，帮不了所有的人。”于是，他抖抖缰绳，继续走自己的路了。

Chapter 02

林中行路一

拉尔夫骑马走了很长一段路，除了满眼葱郁的树木，一路上别无他物。他越往前行，心中就越发敞亮，他慢慢地从迷障中走出，不再掣肘于那些异乡人的信口胡言，毕竟他们与他并非熟识亦非同宗，只不过都是利用他各取所需罢了。想通以后，王子不禁开心起来，他全副武装，无牵无挂地独自上路，开始了属于他一个人的征程。

拉尔夫经过的地方林木稀薄，从林间罅隙可以清楚观察到太阳的方位，如此便可确保于日落之前尽快向东赶路。他身上存粮不多，仅靠林中富足的山果果腹，干渴亦没有打倒他。他骑马顺着林中溪水而上，发现这溪水自山中灌木深处蜿蜒而下，他不由得跟着这溪水走了一阵。然而最终他还是决定原路返回，因为这溪水已引得他向北面走了太多路了。此时夜色渐浓，拉尔夫来到了林中的一片湖边草地。自与阿加莎一别，这一路上，拉尔夫没有遭遇任何野兽，也没有碰到任何人。此时的他早已筋疲力尽，在把宝剑置于身侧、躺倒在地之后，便兀自睡去了。那晚他一夜好眠，直到第二天日上三竿才渐渐醒来。拉尔夫睁开眼时，发现天早已大亮，于是他立马起身，梳洗一番，待匆匆填饱肚子之后，便又继续赶路去了。

穿过一片浓密森林，前路便开始变得陡峭，周围群山掩映，不过视野倒是极为广阔。在这里，拉尔夫看见了大量鹿群，像是雄鹿，还有野猪之类的。路上他还看见了一头棕熊，它正趴在蜜树干上，掏着枝上的蜜蜂窝。拉尔夫见状掏出剑来，费了一番功夫才把那熊从树边赶走，将它偷挖出来的蜂蜜吃了个精光。还有一次，他穿过南边的一处山坡，那山坡上长满了葡萄，颗颗果肉饱满，颜色鲜艳欲滴。他借机大饱口福，然后拍拍衣服，接着上路了。

夜色将至，此时他再次瞧见了先前的溪水，这水从东边一路流淌至此，拉尔夫当即便决定今夜临溪而睡。次日，他骑马沿河而行，走了很长一段路，直到他发现自己又朝北面走了很久，这才返转。如此，他不得不离开了那条溪，凭借观察太阳的位置，尽量往东边赶路。

之后他穿过一片小灌木丛，来到一片杂草丛生的丘陵，其上荆棘遍地，他隐约又看见了那云深之处的巍峨峻岭，它拔地而起，直插云霄，遮天蔽日，仿若一大片黑色的流云。尽管这景色入目慑人，但是拉尔夫知道自己正在朝东赶路，并没有偏离方向，因此依旧兴致高昂。他策马向前，在山坡上纵情驰骋，直到一棵参天松树出现在他面前，他这才终于意识到这条路不管向北还是往南其实都永无尽头。

这会儿夜色已深，拉尔夫想着要不就原地凑合一宿，先睡上一觉再说，要不就得在天完全暗下来之前，去找个安全的地方待上一晚。然而现在这地方干旱缺水，他不禁觉得还是上路为妙。他先下了马，让马儿吃了会青草，接着便抖抖缰绳继续上路了。他的身影渐渐地消失在了丛林深处。

Chapter 03

山下森林之探险二

很快灌木丛便不见了踪影，青松却越发浓密，日落西山后，天色迅速变暗；暮色中拉尔夫继续前行，此时林中既无野兽，也无风声，万籁俱寂。正在这时，他听得身后或一侧有马蹄声响起，怀疑是搜捕他的人来了，于是策马扬鞭，全力疾驰而去，直到林中漆黑一团，才不得不停了下来。他翻身下马，倚在树干之上，挽住缰绳屏息静听，这次拉尔夫非常确定，不远处的确有重重的马蹄声。他暗自窃喜道："除非搜捕者能听到我或者马的呼吸，否则即便他从我眼皮底下跑过，也难以察觉到我。"说罢他便用斗篷蒙上马头，以避免它受惊后嘶鸣，然后静静地停留在原地。那声音越来越大，直到马蹄声近在咫尺，清晰可辨，那人才停了下来。

这时一个男人的声音喊道："林中有人吗？"

拉尔夫没有作声，静观其变，不一会儿那人又喊道："要是有人，那么大可放心，我没有恶意；相反，是出于好意，我这里有肉。”他的声音清脆，如四月的莺声燕语，接着他又说道，“即便你不吭声，我也知道你在林子里。我只是不想在荒野中独行，想跟你结个伴儿。”

听到这里，拉尔夫不由得想起那些被树妻和邪妖困住的行者，但他想：“至少他不是尤特堡君主派来的，圣·尼古拉斯在上，我也不惧那些树妖。如果只是因为莫须有的恐惧而不敢应声，那我还真成了懦夫。”想到这里，他面露悦色大声应道：“附近有人，要是我们能够相见，我愿意与你同行。可是树林里漆黑一片，我们怎么才能见面？”

那人笑了起来，听上去喜出望外，他说：“你没带火刀火石吗？”“没有。”拉尔夫回答。“我有，”那个声音又说道，“我想见你，你的声音真是亲切。你在那等着，我去找一两根木柴。”

拉尔夫大笑作为回答，他听到新来者四处走动，还有火刀划过火石的声音，紧接着火星四溅，一小片木柴在他眼前慢慢变红，火苗随之跳动起来，他清楚地看到了那边的树干，还看到离他二十码远的地方站着一匹马，还有一个男人，那人正俯身于火堆之上。这时那人跳了起来，大叫道：“是个全副武装的骑士！过来吧，荒野上的伙伴，自从五天前我和一个叫亚当的孩子聊过天儿之后，就再没说过话了。过来跟我聊聊天，作为回报，我这里有肉，也有火。”

“这买卖划算。”拉尔夫笑道，他拉马向前，此时篝火已旺，森林里已被点亮，拉尔夫看到新来者身穿当地风格的盔甲，优雅别致，头顶闪闪的钢盔，甲胄之外身披绿色的长袍，看起来身材苗条，也不算高大。

拉尔夫快速走近他，高兴地把手放在他的肩膀，亲了亲他，说道："森林中的和平之吻！"这时他注意到新来者面无胡须，吐气如兰。

但那人拉着他的手把他带到篝火明亮之处，盯着他的脸默不作声地看了一会儿，拉尔夫也同样看着他。只见此人头上戴着一顶造型怪异的头盔，半遮着脸，拉尔夫透过头盔望去，看着看着突然欣喜若狂，他大叫："噢，我之前亲过你的脸！噢，我的朋友，我的朋友！"

新来者说："是的，我是一个女人，你在伯顿乡还有凶境密林寻路时，我们曾短暂地做过朋友。"

拉尔夫张开双臂拥她入怀，又去亲她，她却抽身出来，说着："帮帮我，朋友，我们去拾些柴来，不然火灭了，我们又看不到彼此，还以为是在梦中相见。"

她忙着照看篝火，很快又抬起头看着他说："我们把火点亮一些，今晚会有一场盛宴。"

于是他们收集了一堆柴火，把篝火点得通明；拉尔夫摘掉头盔和锁子甲，少女也取下了头盔与甲胄，此时拉尔夫看到了她脸廓温润甜美。篝火前，少女从马鞍的侧兜里拿出肉和饮品，递给拉尔夫，他接过时顺势拉住她的手，对她笑着说："我们在伯顿乡和凶境密林时，不就已经是朋友了吗？"她摇摇头说："过去可能是，但现在不是了。过去一别时日不多，但今非昔比了。"他热切地望着她说："但你对我来说曾是非常的珍贵。"

"是的，"她说，"你对我来说也是一样。但是这段时间发生了很多事，情况不比从前。”

“不会的，什么变了？”拉尔夫说。

即便是在火光下，他还是看到，她在回答这个问题时脸红了：“那时我是个自由的女人，现在不过是个逃跑的奴隶。”拉尔夫大笑道：“那我们岂不是更近了一步，因为我也是个逃跑的奴隶。”

她低头笑了，接着问：“能告诉我怎么发生的吗？”

“当然，”他说，“但是我得先问你一两个问题。”她点头同意，神情严肃地看着他，如同孩童在等待她的任务。

拉尔夫说：“我们在凶境密林的四望路一别，你说你决意要找到世界尽头的水井，生死不惜。但那时你还没有佩戴着现在的这串项链，看看，你的这串项链和我脖子上戴的非常相像，可否告诉我你的那条从何处得来？”

她说：“哦，这是一个夫人给的，她法力无边，无疑又是迷人至极，我当时的处境极其危险，她把我救了出来，还告诉了我通往世界尽头的水井的路，以及相关的细节，这些你很快就会知道。”

拉尔夫说：“至于你怎么成为奴隶的不必多说，因为我知道这必然会牵扯到尤特堡。但是告诉我，你我相遇在这荒山野岭，如同茫茫大海之中，你我不谋而合，你认为我们是不期而遇，还是我找到了你？”

这时虽然篝火已弱，他还是注意到她看着他，目光如注。她悦耳的声音微微颤抖：“善良的朋友，我希望你是在寻找我，并最终找到了我。事实上是赠我项链的那个美貌绝伦的夫人曾提到过你，说你会踏上寻找世界尽头的水井的征途；之前我就觉得你的眼睛看起来幸运又迷人。但告诉我，朋友，她发生了什么事情，为何不与你同行？因为从她提到你时的语气来看，我想只有死亡才会让你们分离。”

“是死亡把我们分开的。”拉尔夫说。

她垂下头，沉默了。拉尔夫同样也没有说话，直到她起身往篝火里加了些柴，站在火前，背对着他，他这时饶有兴致地问道：“如此看来我们以后将会朝夕相对，告诉我你的名字，你是叫多萝西娅吗？”她转过脸，笑意盈盈，说：“不是的，殿下，不是。我之前没有告诉过你我的名字吗？神父给我洗礼时，为了纪念‘少女的领袖’[①]，为我取名乌苏拉，你叫什么名字？”

“我是爱普觅斯的拉尔夫。”他说道，然后就默默地坐着，回想他的梦境里，想到为何梦中会不断地提到另外一个名字——直到现在他还深信不疑。

她走过来坐在他的身旁，对他说：“我已经回答了你的问题，你还没有告诉我你怎么被抓的。”她的声音对他来说悦耳至极，他看着她的脸，温和地说：“即使长话短说也要花费

① 少女的领袖乌苏拉：有关圣乌苏拉与11000个少女殉道的传说，是由科伦对一些无名的殉道少女的敬礼而来。据传说，有一个叫加美蒂（Clematius）的人在这些少女为基督流血牺牲的地点发现了一座大教堂的遗址。另外，在八九世纪，一次追悼在麦西安迫害教会时期为教会殉道的几千个少女的讲道中，也有提及此事。根据后来的传说，乌苏拉，这群殉道者的领袖，原是英国公主，在11000个少女陪同下，前往罗马朝圣，回程中在科伦遭匈奴人大屠杀。这个传说在中世纪的欧洲非常流行，但这个传说没有考古学的根据。

一个晚上。我跟随一支商队从微特城出发，去寻找你和世界尽头的水井。到达金阁城之前一切顺利，之后我就被出卖了，那恶棍信誓旦旦地说会把我安安全全地带到极厄高地，还说会告诉我通往水井的路线，但他后来却把我出卖给了尤特堡城主，那城主想把我带回宫去。开始，我并不恼怒，因为本来我也是要到那里找你。之后，让我羞于启齿的是，他的夫人爱上了我，我陷入了她们编造的骗局之中。但她们告诉我的事情，我也信了，如果我们在尤特堡相见，情况将会非常凶险，于是我便趁机逃脱，一会儿我还有件事要告诉你。”

听到这里，她脸都白了，说道：“感谢上帝，你没有去尤特堡找我，也没有在那里找到我。要是我们两个都在那里，难免会被那些恶欲吞噬；或者说，幸亏你不是到了那里之后才发现我已逃脱，否则恐怕你早就粉身碎骨了。想到这，就算是现在自己活生生坐在你身旁，我还是心惊胆战。”

拉尔夫说：“你后面说的话倒是让我想起了一件事儿，虽羞于开口恐怕我还是想要问一下，尤特堡城主真的是个人人惧怕的恶魔吗？除非他是个恶魔，不然怎么提到他每个人都是毛骨悚然的反应。”

她一段时间没有作答，然后说：“是的，他邪恶至极，如同来自人间地狱。”

拉尔夫悲伤地说：“亲爱的朋友，有一件事我难以启齿。他们怎样对你，让你受辱了吗？”她安静地回答：“没有。”“不用害怕，除了被囚禁，不能自由出入外，他们并没有怎么为难我。”她笑着说，“事实上，在他们准备严刑拷打我之前我就及时逃脱了。不过那里的确邪恶至极，无异于阴曹地府。但现在我们逃了出来，自由自在地在这森林当中，忘了这些吧，对这些念念不忘毫无益处，除了徒增悲伤。现在我们照看一下篝火，我看你的脸越发模糊了，我可不想这样。等会儿睡前，我们再讨论一下明天该怎么走。”

于是他们又在火中添加了些木柴和松枝，篝火再次变得明亮，拉尔夫高兴地发现，她掩于林荫暗处的容颜又清晰起来。他们重新一起坐下，她说：“我们两个都在寻找世界尽头的水井，而此刻谁更清楚前路呢？谁来带路，谁来跟随？”拉尔夫说：“倘若你知道的不比我多，那我们几乎就是一无所知了。事实上，这些天我一直找你，就是希望你能带我去。”

她笑靥如花，说：“哦，骑士，是因为这个你才找我的，而不是因为真的要救我？”拉尔夫一脸严肃，说：“我倒是确确实实想要救你。”“哦，”她说，“既然我已经得救，那我得认为是你所为。我想你也是希望有所回报的，回报便是，我会把你带到世界尽头的水井前。这个回报够吗？”“不。”拉尔夫说。他们静默片刻，接着她说：“喝完圣井的水回来的时候，我想或许该由你来带路。事实上是我不知道该去哪：我憧憬着水井，以及其他一些事情时，家乡于我就像梦一样无迹可寻。”

他看着她，对她的话却充耳未闻。他说：“是的，你来带路，离开爱普觅斯后就不断有人带路。”她此时看着他嗔怒道：“你没有听我说话。我再说一次，到时候该由你带路。”

拉尔夫的记忆跳转到由橡树湖开启的旅程，他尽力克制住自己不去多想，然后他叹了口气，说：“你清楚怎么走吗？”

她点头表示确定。“你可知道战人山石？”“我知道。”她说。“还有隐居在那片树林里的智者？”“再清楚不过，”她说，“明晚或者次日我们会找到他；有人指引过我怎样才能找到他的住所，我知道他现在被称为‘云梦乡隐士’。然而我要告诉你的是，寻找他可能会遇到危险，尤特堡的恶徒们知道他的住所，也许会跟着我们到那里，但他或许会有办法对付那些恶徒。”

拉尔夫说：“你从哪里知道这些的，我的朋友？”他又变得迷惑不解，但她只是说：“悬崖下的汉普顿，那附近的密林里和我说话的女子告诉我的。”

她佯装对他的迷惑毫无察觉，只说：“不用怀疑，和我一起，你比世上任何人离那水井都要近。哦，即便那位云梦乡隐士已经去世，不知去向，我还是知道战人山石的标记还有穿过山脉的道路，尽管我不得不说他会更清楚。你现在沉溺于过往的悲伤中，我觉得那不过是因为路途劳顿。躺下来睡吧，忘记悲伤，明天又会是新的一天。”

“明天要是到来，”他说，“我就能一睹芳容了，我也确实累了。”

于是他上前取来马鞍，躺卧在地，把马鞍枕在头下，很快就睡熟了。至于少女，又往篝火中添了些柴，坐在他头部那一侧凝神望着他。她身边放着出鞘的宝剑，直到黎明林中树木隐约可见，她才躺下入睡。

Chapter 04

林中行路二

次日，拉尔夫悠悠转醒，此时天色澄明，风息林静。他当即起身，环顾四周，却并未发现少女的倩影。有那么一瞬，他觉得不过是在梦中见到了她。远处篝火正旺，青烟袅袅，火堆旁放着少女的铠甲和造型奇特的头盔，以及她的利剑。此刻他看到了少女，她正赤着双足，从树林深处走来。少女身着一袭绿色丝绸长衣，袖摆流连于膝盖处，她头发微乱，脚步轻盈。少女笑若桃花，灼灼其华，那似乎被玫瑰吻红的双颊简直叫人沉醉。她眼中绽放的喜悦，那强忍住的盈盈泪光都是为了这清晨的欣然重逢。此刻的少女竟比往昔更为明媚动人，使得拉尔夫直想拥她入怀，只可惜她对他还是稍显防备疏远，不过脸颊倒已烧成一片，灿若傍晚红霞。稍后，她用她那甜美动人的声音说道："你好啊，同路人！新的一天又开始了。我去那边看过了，那里有片清澈的池水，我在那简单梳洗了一下，感觉整个人清爽多了。你要是愿意的话，也去那边洗洗吧。等你回来，我这早饭差不多也都好了。吃完饭，我们也好早早赶路。”他照着做了，去池塘那洗漱了一番，整个人都变得精神了不少。回来的路上，拉尔夫一直想着少女的如花笑靥，他走到马儿歇息的地方，喂了它们一些从池塘边拾取的草料。之后他回到乌苏拉身边，发现早饭果然已经做好了，于是他们愉快地用起了早餐。

吃完早餐，拉尔夫去安了马鞍，回来时他发现乌苏拉正在绑她的头发。她对他笑了笑说：“要上路了，我又要做回全副武装的骑士啦！如今我头发散乱，衣服皱褶不堪，邋遢的一面都被你看到了。不过，我的朋友，我真正烦恼的是，虽然我们也算认识挺长时间了，但是我真该找个东西把自己裹住，这样太失礼了。我必须要这么做啊，先前我从尤特堡的一个小伙子那偷来了这副好铠甲，那小伙子是城主的侄子，对这铠甲视若珍宝，爱惜如命。哎，这事儿我之后再跟你细说，前些天我真是饱受煎熬。不过现在，让我们穿戴整齐，赶快上马吧。瞧瞧，你手头的这些工具，足以不让我们在路上挨饿。而我呢，明显不是个好箭手，所以一路上还得劳烦你啦。”

于是她掏出一副土耳其短弓和一筒箭矢，向拉尔夫递去，王子开心地收下了。接着，他们开始给彼此装备起来，乌苏拉给拉尔夫整了整铠甲，说道：“我的朋友，你的铠甲看上去设计精良，是多么的坚不可摧啊！相比之下，我的铠甲那金银圆环镶嵌的铠身和宝石点缀的领口简直如同儿戏，完全没法跟你的相比。你那铠甲的护心镜又厚又宽，裁剪得当，而我的只有一小块，就跟胳膊和腿上的装饰差不多。”

拉尔夫充满爱意地看着少女，看着她圆润的双手在黑灰色的行囊里翻来找去，他说道：“亲爱的朋友，我的生命是为你而战，理应穿上这英武的盔甲。”乌苏拉抬头看着他，双唇忍不住颤抖。她伸出双手，似要抚上他的双颊，却又在伸至一半时收了回来，她说道:“快来吧,让我们赶快上马,英勇的武士。”

于是他们各自上马，穿过一片松木林。林中万籁俱寂，地上铺满了松木针叶。他们骑马穿梭林中，乌苏拉说道：“我发现有好几个标识指向云梦乡隐士那里。昨天你看见那条小溪了吗？”“当然，”拉尔夫应道，“我沿着那小溪走了许久，后来因为距离东面越来越远便离开了。”“没错，”少女接道，“正是因为你的离开，才造就了我们如今的相逢啊。沿着这条小溪走下去，你一定会抵达尤特堡的。不过现在，我们得先去找一条河流，该河自山上流下，并非是东境山脉，而是位于隐士的高原居所。我并不知晓路途的长短，但是这溪流定会为我们指引前路。”

他们在林中骑行，数小时入眼皆为碧茵绿色，别无二致。走了一段时间，他们决定停下休息会儿。乌苏拉如释重负，重重地叹了口气，拉尔夫不禁问道：“为什么叹气，我的朋友？”“哎，”少女雀跃道，“我这是高兴啊，前一刻我还是个卑贱的奴仆，整日活在恐惧之中，每天提心吊胆，惶惶不可终日。下一刻，我却成了一名自由而孤独的旅人。现如今……我在想，要是有一日再回到我的故土、我的家乡，松木林的香气都会叫我沉醉。”

拉尔夫热切地看着她，不知道说些什么才好。他酝酿了好一会，这才开口道："告诉我吧，我的好伙伴。要是在路上遇到了悍贼，我们要怎么办呢？"

"不会发生这种事的，"少女说道，"人们害怕森林啊，森林里没有人，盗贼们抢谁去？要真让我们遇见这种倒霉事，只要看见我铠甲上的尤特堡徽章，那些喽啰们就不敢轻举妄动了。"她静了会儿，又开口说道，"不过也不排除有尤特堡的恶徒在追踪我们，就算他们也对森林有所畏惧，但是只要想想他们的城主，哪里还能顾得上这么多。不过，我们走得很快，他们想要在我们找到隐士之前追上我们几乎是不可能的，再说隐士也会帮我们。"

"确实，"拉尔夫思索道，"那要是真被赶上了呢？我们能活着被带回去吗？"乌苏拉悲伤地看向他，将双手放于颈珠之上，回答说："对着这徽印起誓，我等必披荆斩棘，长存于世。亡命之途已经开启，地狱之门正在打开。仁慈的主啊，哪怕我等葬身九层炼狱，亦誓不回尤特堡！"

他们静静地骑了很长一段路，谁也没有说一句话。最终还是拉尔夫打破了沉默，他低沉坚毅的声音缓缓响起："也许你可以跟我说说以前在尤特堡的那段可怕日子，说出来也许心里会好受点。""可能吧，但是我……我不会说出来的。因为有的事就算是男人面对他的朋友，也难以轻易启齿，我对你也一样。但是你可以想象，"她腼腆地笑了笑，"我是个女人，有些话女人是不能对男人说的，即便此刻女人躺在男人怀里，也是不能说的。"说完这番话她的脸已经烧得通红。拉尔夫温柔地回道："我为我的鲁莽道歉，从此再不会询问这些。"她回他以友善一笑，一路上又谈了些其他琐事。

过了一会，拉尔夫又道："如果有哪天，你愿意告诉我你是如何落入那些尤特堡人之手的，我会很愿意听的。"

乌苏拉噗嗤笑了出来，说道："我的朋友，为什么你总是纠结于这个故事？你对这事不是挺清楚的吗？更何况，这么悲惨的经历，我只有在心结已解的情况下，才会对你全盘托出啊。"

拉尔夫不好意思地说道："你不要生气，我们结伴而行，一路扶持，我只是关心你啊。"

"好吧，"少女说道，"既然已经逃离了尤特堡，我就给你说说吧。

"那会儿我被带到了集坪山城的奴隶市场，还没来得及被卖掉，就有个野人把我救了出来。他带着我逃往金阁城那边的山丘，就在快要抵达之时，他对我说打从心底里庆幸我还没有被卖掉。我问他为什么要救下我，当时他骑马走在我旁边，有些沮丧地说道：'天知道，我真希望自己没有救你。'我继续问他，为何总是这般愁眉不展，然而个中原因我也是知道点的。他说：'我为此一直很痛苦，我无望地爱着你，并想娶你为妻，但我知道你不会再喜欢我了。'我回道，其实他说的没错，但是如果他愿意，我们还是可以继续做朋友的。'不做朋友，'他拒绝道，'我会让你爱上我的。'我婉拒了他，告诉他我这生只爱一个人。'他还活着吗？'他问道。'谁知道，希望如此吧，'我说，'倘若他死了，我的心也就死了。'

"谈话过后，他就挺消沉的，心情一直不大好。再之后，他就像哥哥一样待我了。他说如果我愿意，他会送我回去，一直送到安全点的地方，好让我能到达微特城。你知道的，我必须向前，我已经没法回头了。

“随后，我们进入了金阁城的群山。有日清晨，他醒来的时候，脸色沉重，坐立不安，对什么事都提不起兴趣，整个人无精打采的。我问他怎么了，他说：‘我快要死了，眼前老是出现幻觉。等我死后，把我葬在后山吧。’‘你只是做了噩梦而已，’我说，‘没什么的。’我尽量语调轻快地安慰他，可他完全无动于衷，只是说道：‘你以后怎么办，我要是死了，这一路上谁还能保护你。’我挺难受的，尽管他未受教化，举止粗鲁，但是他真是个好人。到最后，我的心情也变得跟他一样沉重起来，一路上我俩谁都没怎么说话。太阳快下山的时候，我们来到群山中的一处悬崖，在那里发现了十来个人，个个装备武器。他们在一块巨石旁安营扎寨，有四个骑在马上。当牛鼻子（这正是野人的名字）试图拉我逃跑时，我们立刻就被发现了。骑马的那几人抓住了我和他，把我们押到一个凶神恶煞的男人面前。那个人，怎么说呢，你见过的，就是那个尤特堡的城主。他看都没看牛鼻子，就一直盯着我，那目光就像在市集里挑马一样。那会我胸口还藏了把匕首，于是我走到他跟前，想要刺伤他，只是可惜胸前的挂珠有点碍事，我并没有成功。我长话短说吧，他命令牛鼻子把我卖给他，牛鼻子坚决不同意，他对尤特堡城主怒目而视，浑身僵硬地站在他面前。就见那个男人狠狠嘲弄了他一番：‘呵，那就这样吧，她人我带走了，而你一个子儿也休想得到，真要感谢你为我省了一大笔钱。’

牛鼻子说道：‘如果你把她带回去当奴隶使唤，请你也带上我吧。要不然，我就一直跟着你的队伍，再伺机杀了你。总有一天，你们其中的有些人，会尝到我刀子的滋味。’

“当时尤特堡城主的脸都白了，许久都说不出话来。他向牛鼻子身旁的男人递了个眼神，那个男人手握一把重剑，之前还拿在手里随意挥舞过一两下。那男人收到眼神后，往后退了一步，挥起他的大剑，就朝牛鼻子砍了下去，把他当场劈成了两半。

“到这会儿，尤特堡城主的脸才慢慢恢复了血色，然后他说道：‘现在，我的奴仆，让我们高高兴兴地享用食物吧，我们在山里发现了好东西。’于是，他们开始吃吃喝喝。虽然我也分到了食物，但是我怎么吃得下，这一切都太恶心了，我感觉糟透了，简直就像看到了魔鬼！我为牛鼻子感到心痛，我的朋友，他是个多好的人啊。

“他们在那过了一宿，可怜的牛鼻子被抛尸荒野，甚至都无人埋葬。第二天他们开始动身回尤特堡，由于没带多少行李，所以一行人路上走得很快，也就偶尔停下吃点东西，晚上再睡上一觉罢了。动身的第一晚，我被单独带到城主跟前，这禽兽企图奸污我，我当然不会同意。接着他便开始狠狠地威胁我，企图逼我就范。还好当时只有我们俩，于是我告诉他，他要是再逼我，我要么自杀，要么就跟他同归于尽。他害怕了，就像那会面对牛鼻子一样，只不过没把我也杀了，只是命人看好我。我就这样毫发无损地被带到了尤特堡。”

“那之后呢？”拉尔夫问道，“到了尤特堡以后又发生了什么？”乌苏拉笑了笑，伸手比画道：“尤特堡坐落在一片非常美丽的土地上，城里亭台楼阁鳞次栉比。我被带到了一处位于花园之中的雅致别间，有女仆前来服侍我沐浴，为我换上精美的衣服，还替我准备了丰盛的餐点，满足我的一切所需。好了好了，都说这么多了，这回就先到这里吧。”

Chapter 05

偶遇云梦乡隐士

夜色已晚，二人终于抵达了先前一直找寻的那条小河。只见那河岸上长着一大片松林，越往远处越发的葱郁，而他们所寻的河水便是从这林间蜿蜒而过。小河岸高水深，流势湍急。待他们走近，乌苏拉说道："我们也许过不了河，但是这并不重要，明日我们须逆流而上。"

于是两人决定先在此歇息一晚，他们在河边生起了篝火，随后又在四周察看了一番，探查完毕后，他们回到歇脚处睡下，一夜辗转反侧，终于等到第二日天光大亮。所幸一夜倒是平安无事，除了拉尔夫在夜间听到了两次狮子的吼声。

睡醒之后，他们即刻上马，沿着小河逆流而上。没过多久，他们便开始翻越山脉。等到中午时分，他们终于来到了一处地势崎岖的高地，不时能看到巨大的山墙横亘在面前。之前他们还以为已经到达了塔城谷，而现在在拉尔夫看来，他们几乎是在原地未动。整整一日，路途皆是坎坷不平，再加上一路上小河时隐时现，特别是当它流入山石缝中，于两侧并无浅滩的天然峭壁中穿流而过时，旅途变得愈发艰辛。

他们一路缓速前进，拉尔夫最后失去了耐性，他说自己不抱希望能在哪天或任何时候见到智者。而乌苏拉依然乐观，她开心又善意地打趣他，直至他再次打起精神。之后，乌苏拉央着拉尔夫去寻些野味，显然他们已经超出预定的时间，而她尚不能确定何时才能找到智者的隐居处。于是，拉尔夫拉弓射了一只黑琴鸡，随后他们便在原野中大快朵颐起来。

那晚日落西山后，月上枝头，此时树木稀疏，林中的光线不算黑暗，他们继续前行，尽管兴致不错，但很快便疲惫不堪。他们的栖息地是水边的一片绿茵，一座弧形的陡坡将其环抱其中。

于是，二人决定在此处歇下。晚上静谧之时，他们听到山风中夹杂着雷鸣声，这使得他们不禁猜测，那定是远方流水奔腾的怒吼声。他们起身前去寻找，靠近河岸之时，他们看见那河面上朵朵浪花翻滚，不禁认为已然来到了某处山腰，水流是从更高处流淌下的。收拾完毕他们便躺在绿地上，这是他们结伴而行的第二个晚上。早上，二人醒得较先前一日稍晚了些。他们太过疲惫，以致夜间都放松了警惕。不过幸好一夜无事，直至第二日天光大亮。

拉尔夫此刻起身，见乌苏拉仍在酣睡。他站起来环顾四周，看见他们的两匹马儿正在山坡下吃草，边上还站着一个人，那人身形颀长，一副白须，正斜倚在拐杖之上。拉尔夫提剑向他走去，当老人转过脸时，拉尔夫的剑刃在阳光下闪闪发光。老人提起拐杖，似乎在向拉尔夫打招呼，并往他这边走了过来。这时，乌苏拉醒了，站起身来，一眼就看到了那白须老人，大叫道："朋友，小心你的剑，感谢上帝，他就是云梦乡隐士！"

他们俩站在那里直到智者来到身边，并吻了他们两个，老人说："很高兴你们最终来了，我不曾想到你们会拖这么久。所以现在即刻上马与我走吧，要知道，对于那些还未曾饮下井水的人们来说，生命可是非常短暂的。此外，如若遭遇了尤特堡的恶徒，若我不在近前，这情况对你们来说也是颇为棘手。"

拉尔夫看到他虽是垂垂老者，却身强体健，高大魁梧，脸上容光焕发；他双颊红润，嘴唇饱满，目光有神，脸上、手上全无褶皱，脖子上戴着两个项珠，如同他的教母馈赠给他的礼物。

于是他们即刻上了马，老人也不再讲话，只是带领他们爬上山坡，之后又进入了一片树林，林中到处都是毛榉树，随处可见的空地处点缀着冬青与荆棘；然后他们从一道长坡的宽道骑行而下，又从另一侧爬了上去。

这样走了一个小时，老人没有再说话，尽管从眼睛里可以看出他有话要说。他们就这样默默不语，心里的希望和恐惧让他们无言。

最终，拉尔夫三人终于登上山顶，竟发现这上面是一块平坦之地。随后，他们走了很长一段路，最后终于从一片密林中穿出。他们来到了一片十二英亩见方的空地，空地由几块田地篱笆围绕，山羊圈养其中，另有三块耕地，田间小麦尚未收割，还有些芸苔和其他一些盆栽药草。再往里走，靠近森林的一边，有一幢坚固漂亮的木房子，房顶由麦秸堆砌而成。木房旁边泉水叮咚，那泉水渐渐汇成一条小溪，横穿过先前所说的那片空地。门上方悬挂着一个雕花十字，一张弓、一支短矛靠在廊前的墙上。

拉尔夫细细看来，想弄明白此地是否凑巧是丰饶夫人和邪恶女巫曾经的住所。但是，老人看着他说："我知道你在想什么，答案并非你所想。那个房子在距此很远的地方，你应该去过那里。现在，孩子们，欢迎来到这个住所，住所的主人找到了你们所寻的东西，却失去了你们将有的恩赐，恐怕他记得的会是你们将忘却的。"

就这样，他把他们带入了小屋，来到其中的一个房间，屋内简陋不堪。他请他们入座，然后端上食物，不过是些奶酪、羊奶、面包之类。之后他们开始讨论林间的生活方式、季节转换，及其他一些无关紧要之事。老人虽不疏于礼数，待人可亲，但对他们却只有只言片语，似乎已经不习惯与人交谈。不过酒足饭饱后，老人开口道：

"你们寻我无非是因为世界尽头的水井，想从我这里知道去那里的路线罢了。但在此之前，告诉我你们知道多少。"

拉尔夫说道："我对此所知甚少，只知道战人山石是必经之路，还有你知晓通往水井的道路。"

"你呢，姑娘，"白胡子问，"你知道些什么？我是否也得告诉你，若想前往世界尽头的水井，还得翻过重峦叠嶂，途经世界之壁、避冬山谷、良善边民、中途小屋、异象森林，以及枯树谷这些地方？"

"不，"她说，"这些事情我都略知一二，但又不十分明白。"

智者说："即便是我，也是如此。许多年前我还住在云梦乡附近的时候，有人找我问路，我告诉了他们。也许是因为线索不够详尽，他们再也没有回来；也许他们找到了水井，人还是死了。于是在我年迈之际，亲自踏上寻井之路，因为我是戴着串珠的寻井人之一，我找到了圣井。我现在已知道所有的线索，自当知无不言，言无不尽。但是请告诉我，姑娘，你是从哪里知道的这些的？"

乌苏拉说道："是一位绝貌女子告诉我的，我猜她是汉普顿佣兵们的女神夫人，就在离我的家乡不远的地方。"

"原来如此，她现在怎么样了？……不，不会吧，"他说道，"不用问，从你们脸上我也可以看出来，她已经过世了。除非被杀，她不会故去。我想问，你们是她的朋友吗？"

乌苏拉说："她当然是我的朋友，她对我很友好；我想这个人和我都是她的朋友。"

拉尔夫垂下头，智者注视着他，仍默不作声。接着他拉住他们俩一人一只手，静静地握了一会儿，拉尔夫依然情绪低落悲伤，乌苏拉则充满爱意地望着他。

接着智者说："这样，骑士，我现在了解了你的为人，也明白你们两人之间的情愫，对此我不发表言论，就让它一切随缘吧。另外，我想我的老朋友会很乐意让我来告诉你们水井的线索，我能做的也就这些，之后的事情就看你们自己的造化了。稍等片刻。"

老人走到一个约柜前，从里面取出来一本书。这书用一块昂贵的金丝绸缎包裹，封皮是一张刻有奇怪纹饰的硬皮甲。他说：“这本书是我祖辈传下来的，我在云梦乡期间得以继承，并从中受益匪浅。父亲恳请我把它当作最宝贵的财富。起初我并不在意，直到青春不再，生命里只剩下倦怠和愁苦时，我才拿起它潜心阅读，并因此而变得睿智，接着那个人找到了我，之后发生的事都是命中注定。这书中有你们想知道的东西，我会将其尽数读给你们听，并知无不言。不过在屋内读这本书并不合适，尽管这间屋子和室外同样简陋清白。除此以外，要倾听这古老的智慧，你们的着装也不合宜。你，骑士，穿着战衣，佩戴着充满仇恨的武器。而姑娘你呢，穿着那暴君的战衣，那不过是他谎言和诡计的战利品。”

接着他走到另一个柜子前，从中拿出两包东西，一包递给拉尔夫，另外一包给乌苏拉，说道：“你，姑娘，快去里屋脱下这身脏污的铠甲，换上这包里的衣物吧。你，骑士，拿着这个包裹，到屋后的丛林中，同样换上衣服，在那里等着，我们会过去找你。”

于是拉尔夫拿起包裹，走出木屋来到林中，脱下战衣，换上包裹里的衣服。包裹里只有一件白色亚麻长袍，像一件圣衣，袖口、褶边和领口都点缀着金丝线绣花，腰间系着红色丝绸的腰带。更衣完毕，王子站在林中，想到自己离开爱普觅斯后的种种，不禁感慨万千。

不久，另两人也来了，乌苏拉穿着同样的衣服，老人手里拿着书。他看着拉尔夫笑了笑，友善地对他点点头。至于乌苏拉，她在看到拉尔夫时早已霞飞双颊，她不禁暗忖，就是了，他便是海厄姆城圣玛丽教堂那唱诗楼壁画上的天使吧。

Chapter 06

良师益友

智者带着他们穿过树林，来到了一处放有石桌的草坪之上。据拉尔夫所知，这石桌正如丰饶夫人所说，是女巫向魔鬼献祭的地方，一想到丰饶夫人，拉尔夫不禁变了脸色。智者见状摇了摇头，声音温和地说道："在这蛮荒之地，有很多这样的地方。古时候人们信奉着他们想象出的大地之神，这本书里亦记载了这些言论，所以阅读这书并无任何不妥之处。但如果你们因此惧怕此书和此书的作者，害怕已经死去很久的亡魂，那你们现在回去还来得及，去寻找你们的水井吧，只是这次不再有我的相助。不过，我相信即使没有我的帮助，你们也是可以找到的。若是你们无所畏惧，那便坐下来吧。我将把这本书放在最为古老的石桌之上，帮你们解读它最深层的奥秘，你们一定要用心聆听。"

于是他们并肩坐下，拉尔夫把乌苏拉的手握在掌心，温柔地摩挲着，这缱绻爱意使得少女羞涩地抽出了手，可是这又有什么用呢，她的目光简直没法离开他。老人严肃地看着他俩，却并没有因为他们的心不在焉而感到生气，他顾自摊开书，开始读了起来。他读的这些都是之后旅程必经之事，里面很多地方都提到了要如何去找到世界尽头的水井，事无巨细，都有一一说明。智者读了很长时间，读完之后，他就所读部分进行提问，让拉尔夫和乌苏拉挨个回答。如果他们回答错误，他则把那部分重新读过，一遍又一遍，直到他俩完全弄懂，并可立马说出答案之时才停下，如同给孩子们上课一般。读完的时候，太阳已经快要落山了，于是智者让他们先回他的居所，在那吃饭歇息。

“明天，”他说道，“我会教给你们此书的最后一课，随后你们就可以动身前往战人山石了。我已预知到你们这一路，并无大灾大难。不过今天，我还看见尤特堡的敌兵在寻找你们，所以我会陪伴你们走上一程。”

于是他们一行回到了老人的隐居处，老人竭尽所能地鼓励他们。

他为人友善，语调温和，使得拉尔夫二人感觉就像在跟亲切无比的长辈交谈，他们皆被他的快乐感染，彼此度过了非常愉快的一晚。

次日天亮，他们再次来到了古老的祭坛之前，老人教授了他的最后一课，以确保拉尔夫二人已熟记关于水井的诸多事项。他们在草地上坐了很久，用心聆听着老人的教诲，直到天色渐暗，暮霭沉沉。那一夜，他们依旧歇在了智者的家中。

Chapter 07

途中遇险

次日，他们一早起来，穿的依旧是日常的装束；拉尔夫两人用完早餐，老人在他们马鞍的侧囊中放了些食物，说道："这些食物够你们吃几天，之后你们也就知道该怎么做了。"

接着，他们便飞身上马。老人在乌苏拉一侧步行，拉尔夫看着于心不忍，就请他骑自己的马。老人应允，笑道："你是位年轻善良的王子，要不是这样我肯定不会同意。因为这样做没有必要，喝了那井水之后，我其实比你还要强壮。"

就这样他们上路了。拉尔夫注意到乌苏拉一路上默默无语，躲躲闪闪，这让他很是烦恼。最后他终于忍不住问道："朋友，我做错了什么？告诉我，我好改正。你离我越来越远，待我很是冷淡，就像明媚的春日清晨，变成了冰冷无情、阴云密布的下午。到底是为什么？长路漫漫，我们这样对彼此都毫无益处；如果心不在一起，即便离得再近也于事无补。"

她笑了，脸色羞赧，接着神色变得沉重起来，怜悯地看着他说：“如果我看起来如你所言，非常抱歉，我并无此意。我不过在想这次漫长的旅途，你我同行，若是找到水井后，我们还能活着回来，到时候彼此间又该如何相处？”

她停顿了片刻，好似后面的话实在难以启齿，毕竟那是她内心最隐秘的声音，不过，她最终还是开口道：“朋友，你一定要原谅我；你在我身上看到的冷漠，我也在你身上看见了踪影；现在我明白事实并非如此，我们都对彼此有所误会。”

她向他伸出手，他拉过来，亲吻了一下，握在手里爱抚着，她则一脸爱意地看着他，于是他们又开开心心地上路了。一路上他们有说有笑，并没有关照到拉尔夫右手边的老者。然而，老人也毫不在意，仿佛从未听到他们的交谈。

他们在森林中行走了一段平坦的路程，接下来树木开始变得稀疏，地面也开始崎岖不平；最终山峦开始连绵不断，山高谷深，崎岖难行。山中有众多野兽出没，太阳落山时他们听到了三次狮吼。不过好在有智者领路，他们迂回而行，转过山脚，这期间他们大部分时间都是沿河而行，一日之内还两次经过山颈。

暮色降临，这时他们来到一个小山谷，山谷里溪水潺潺，绿草茵茵，溪岸边灌木丛郁郁葱葱，高大秀美的栗子树随处可见。

“现在，”老人说道，“在这个山谷中我们需防备两样东西，第一样就是狮子；尽管狮子通常不会袭击有武器装备的人，可马就不一定了。一旦它们瞄上马，便会纠缠不休。而失去马的痛苦，相信你们也是知道的。需防备的第二样东西是尤特堡的恶徒。对付狮子，你们只需生起火，远离溪水和溪边的灌木，再把马牵到火边就好了。”

“是的，”拉尔夫说，“但若尤特堡的恶徒就在附近，我们岂不是此地无银三百两，自报家门？”智者说：“如果只有你们两个，我会让你们通宵达旦地赶路，宁可冒风险，也不能落到尤特堡恶贼的手里。但现在有我做向导，去那边的大树下生火吧，让我来对付那些人；只是，到时我让你们做什么，你们照做就是。”

“就这样吧，”拉尔夫说道，“一路上我屡遭背叛，但我必须要信赖你，否则我们所寻求的帮助便只是枉然。干活吧。”于是他们下马，拾了一堆柴火，然后点燃篝火，马就拴在旁边的树上。这时，天已经完全黑了下来，他们在篝火旁做了晚饭，拉尔夫在路上还打了一只野兔。智者到溪边打来了水，他说：“我认识这山里的野兽，它们也认识我，我们和它们可以和平相处。”于是，他们把武器放在一边，纷纷席地而坐，吃起肉来。智者对他们说：“脱下盔甲吧，对付尤特堡的恶徒们，你们可以不费吹灰之力。”

于是他们在原野中吃完了晚餐，拉尔夫和乌苏拉不禁觉得心情舒畅。这对年轻男女心怀远大抱负，所以世界在他们面前变得如此美好。尽管心情不错，但一路长途跋涉，已是身疲体乏，夜色未深，两人就睡下了。睡眼惺忪间，拉尔夫恍惚看到智者站起身，他的面容隐于兜帽之下，右手做着奇怪的动作。王子觉得这是智者在用法术保护着他们，于是他放下心来，在草地上翻了个身后，就即刻睡着了。

过了一会儿，拉尔夫突然惊醒着坐了起来。一开始他并未完全清醒，觉着似乎有人拍了拍他，思绪一下子回到了许久以前，他不禁大叫道："哈！罗杰！是你吗？发生了什么事？"但很快，他就完全清醒了，知道是智者在拍他，而且还发现乌苏拉也惊坐了起来。

火堆生得很大，到现在火虽然熄了，但篝火的边上还有火星忽闪忽亮。月亮升了起来，天色澄清，月色皎洁。

智者压低声音，飞快地说道："你们两个快躺下，尤特堡的恶徒过来了，我要用斗篷把你们盖住。记住，不管发生了什么，你们都待在里面别出来，也别发出任何声音，直到我说没事了再出来。"

他们依照老人的话躺在斗篷下面，但拉尔夫还是从斗篷的一角窥到了外面的情形。他看到智者走到大树前，靠在树干上，手里握着缰绳，马在他身边，一边一匹；而且拉尔夫还能听见小溪那边马蹄踏在石头上的哒哒声。接着一个男人的声音喊道："他们肯定是听到动静，所以跳过草地，跑到火堆和大树那边去了。不过，他们是逃不掉的。"紧接着，草地上传来重重的马蹄声。眨眼之间，他们便被一队人马包围住了，这些人约有二十来个，月光下，他们的盔甲闪着冰冷的光芒。但到了面前，他们却一语不发，直到有一个人好像是受到了惊吓，颤颤巍巍地说道："奥獭，奥獭，这是怎么回事？一分钟前我们还看到有火堆、大树、人和马匹。但现在，你们看，除了草地上的两块岩石，树上挂着的人骨，以及那骸骨两边马的尸骨，什么都不见了。我们到底在哪？”

接着另外一个声音开始讲话，拉尔夫听出是奥獭的声音：“我也不明白，大人。除了篝火、马匹和人之外，其他一切都没变，大山依旧在远方，头上还是轻云蔽月；即便明月和云的姿态也几乎未变。我们看到的火可能是地火，其他的有可能是我们在月光下看错了。”

第一个声音又开始说话，然而抖得更厉害了：“不，不是，奥獭，不是这样的。你看看这些骷髅、人骨、岩石！还有火堆，他们一会儿在这儿，一会儿在那儿，这真是个邪门儿的地方！咱们走吧，去别的地方找找，以防不测，我们这就走吧。”他调转马头，轻踢战马，原路飞驰而去，其他的人也都随他而去；只有奥獭逗留了片刻，他环顾四周大笑道：“城主的侄子已经走了，和城主一样，除了对付带着枷锁的犯人，对付其他人，他都不够勇敢。好吧，对于我来说，若是有上天入地的魔法，我倒是乐得一见。武艺在我之上的同伴倘若在我面前遭受阉割之苦，我真不知如何是好，而眼睁睁看那位佳人备受折磨只会让我恼怒，尽管我对这样的情形也是司空见惯。好吧，这是件好事，和我的朋友同行要比伺候恶魔和他的侄子好多了。”

接着他也调转马头，扬起马鞭，追逐他的同伴去了。一会儿功夫，那伙人的声音全都消失在黑夜中，只听得野兽的叫声和奥獭的笑声在山间回荡。这时，智者走过来，他一把掀开二人身上的斗篷，大声笑道：“现在你们可以放心睡了，我再把火生起来；这次尤特堡人不会再来了，还有三小时天就亮了；赶快睡吧，愿你们做个好梦。”他们站起来，心悦诚服地感谢智者，对他的智慧啧啧称赞。当老人生火时，拉尔夫走向乌苏拉，拉着她的手说："欢迎，我的同伴，我们重获新生了！"他热切地看着她的眼睛，很想拥她入怀，但是乌苏拉还是躲开了，只是害羞又充满爱意地看着他，于是拉尔夫只得吻了吻她的手。待乌苏拉在自己的位置躺下后，王子也躺了下来。没过一会儿，他们便都香甜地入睡了。

Chapter 08

熔岩之海

次日醒来，太阳高悬，老人正在做着早餐，拉尔夫二人起身去小溪里梳洗了一番。匆匆吃完早饭后，赶在中午的时候便骑上马出发了。他们从山谷出发，一路沿着山颈向东骑行，周围几乎没什么水源，入目山石凌乱，一片荒凉。

路上乌苏拉告诉拉尔夫，昨晚被法术吓住的男人正是尤特堡城主的侄子，也是被她哄骗偷走的铠甲的主人。“可是，”她说，“虽然他对这铠甲不甚喜爱，可是一旦我们被捉住了，他指不定要怎么为我欺骗他这事报复我呢。”拉尔夫听完气得脸都红了，他眉头紧皱，还好老人此刻适时引出了另一个话题。

他们登上山顶之时，天已经渐渐黑了下来。他们来到一处石洞，洞中有一方小池塘，他们决定在此先歇上一晚，尽管这洞中环境恶劣，但至少可以安全地睡上一觉。第二天他们沿着山颈早早赶路，其间一路艰险，经过四小时的长途跋涉，才终于到达了相反方向的山石环绕的狭长山脊，又或是山顶的地方。后来当他们到达另一山脊之时，他们终于看到了东境山脉的巍峨身影，它雄伟连绵，一望无际，仿佛延伸到了世界的尽头。那日天空澄明，晴朗无云，从他们所站之处眺望，所有角落皆一览无余。那突入海中的海岬，其上伫立着高墙之城；那巍巍林立的山峰就如金字塔一般，仿若出自天人之手；而那巨型裂谷，宛若创世众神居住的城中长街。在这一切之上，是覆盖着这苍茫大地的万年积雪。眼前这极致的景色使得拉尔夫一行人以为是天空坠落，化作了这群山的被子。

虽然此番美景已然在目，但是去到那里仍需很长一段路程。拉尔夫三人此刻正位于一片广袤的平原之上，这片平原位处东境山脉和先前的山脊之间，周围既无树木也无人家。平原上草木稀疏（尽管并非完全如此），看上去像是一条巨大的暗灰色河流，又或者说像是一片脏污的海域。事实上，它曾经也确实如此，毕竟它见证过旧时代地火燃烧时熔岩流的爆发。

如今他们站在这里，注视着眼前的这番景象。智者说道："你们啊，我的孩子们，看看那城堡及其外垒，它的堤坝保卫着通往圣井的土地。自明日开始，我们将会进入有地火包围的熔岩海域。我明白你们都不想遭遇太多危难，然而这里却充满了许多未知的危险，若无前人智慧根本无法通过。有很多人皆殒命于此，因为他们都没有看过那本书，而我早早就让你们读过了。现在你们一旦上路，即使有我召唤也已经无法回头，不过，我也不会再召唤你们。这一路将困难重重，凶险万分，你们的内心将得到试炼。如若你们已经像所罗门与亚历山大大帝一般英勇无畏，我也须得告诉你们：若你们不是全身心爱着这个世界，不愿竭尽所能体验这世上的至诚至善，那么前方的困难和阻碍将成为你们的砒霜，而非福报。此外，我还希望拉尔夫你不要成为暴君，铸造出一个充满市侩商人、高利贷者，遍地士兵和奴隶的王国；不要和金阁城城主一样昏聩，给自己打造一个墓穴般的帝国；也千万不要像四湾镇的奴隶主一般，被困城中，处处受制，也许已被乱民杀死。我渴望你们内心祥和，无恨无畏，匡扶正义，济民扬善。这样哪怕你们最终死去，当后人谈及你们时，也会铭记你们的善行。你们怎么看呢，孩子们？”

拉尔夫说道：“先父，尽管你可能会觉得我胸无大志，但我还是说说我的计划吧。等这旅程结束，我会回到生我养我的爱普觅斯，陪伴在我父皇、母后左右。我将保卫那茵茵草地，不让它被战争所毁；我将捍卫那亭台楼宇，不让其为烈火所噬；我将让我的王国远离战争烦忧，使其运转无碍，欣欣向荣；我将抚育我的儿女，看着他们承欢膝下，日渐聪慧；我将被埋葬于圣劳伦斯教堂，安息在我的先人身旁。我将缅怀已逝之人，我将体恤尚存之士。人间将成为众神钟爱之居所，天堂将变成无上之乐园。”

“这很好啊，”智者说，“尽管你只想做这些，但绝非胸无大志。那你呢，可爱的少女？”

她看了看拉尔夫，然后说道：“我不知道，我总是浑浑噩噩的，也许我该再仔细想想。至于其他的，就跟拉尔夫一样了，我想帮助那些活着和死去的人。除此之外，我不知道自己还能做些什么。”

“这也很好啊，”智者说，“你迷失的那些东西务必要记得找回来。你们的未来一片光明，因为世事轮回，善恶有报。你们要无悔地活着，也不要畏惧死亡的到来。接下来，就是你们二人的旅程了。”

智者说完，三人都陷入了沉默。他们安静地站着，盯着脚下这深灰色的平原，及其周围那蓝色的高墙，直到最后他抬起手，指着远方说道：“看那儿，孩子们，看我手指向的地方。看那从群山中延伸而出的海岬，它的尾端像是矗立在这熔岩海之上的堡垒，两侧和前端因不久前地火的喷发而呈红褐色。看见没？”

拉尔夫注视了会儿，然后说道：“看到了，先父，我看到了。我看见了它狭长的裂谷和它绵延的山脊。”

智者接道：“在那海岬之后，你们便能看见战人山石了，它是通往东境山脉的大门。等我把你们送至那里，我就会离开，和你们道别。现在时间紧迫，正如我之前教你们的那样，我们要在冬天来临之前赶往那处山洞，否则情况不堪设想。所以我们先吃点东西，待会都走快些，确保能在日落之前抵达熔岩海域。”

他们吃完赶紧上路，智者带他们从山脊的一处斜坡下去，那条路崎岖坎坷，难以行走，不过倒是没有太多危险。太阳快下山的时候，他们终于来到了山脚的平原，其上青草覆盖，河水在山脚和熔岩海间蜿蜒流过。至于那传说中的熔岩之海，从远处看去，它平静无波，深不可测。如今他们立于岸边，只见浪起时，那熔岩海波涛汹涌，直拍悬崖，有的一冲天际，足有一百英尺，随后那熔岩从高空摔落，在海面溅出破碎的火花。有时候这海又直入沼泽，拍击着绿色的海岸，等其熔岩冷却，它便又会退潮回来。

之后，他们来到一片三面石墙环绕的草地，其间溪水潺潺，他们决定在此先休息一晚。那晚夜色宁静，万物祥和，他们很快就进入了梦乡。

Chapter 09

前往石海

第二天，智者带着他们直奔石海而去，依他们所见，这不过是个漆黑的巷子，但海湾尽头却是长长的黑色石堆。老人让拉尔夫和乌苏拉都下马（自第一天起他就开始步行），两人牵马爬上了石堆，没有山间野兽的敏捷身手，他们举步维艰。上坡不易而下坡更难，只因石堆另一侧更为陡峭，不过最终他们还是走完了这段艰难的路程，来到一片草地，也就是石海中的小岛。越往东边草地越发狭窄，而两边的石头却变得光洁，好像地火熄灭后瞬间冷却了下来。

这时智者给他们看了一块大岩石上刻的标记，之前他们在书上也看到过，正是剑和三叶枝交叉的图案。按书中所说，他们应当奋力穿越石海，或原路返回，但不能在标记处逗留。

草地较为狭窄的那一头，他们发现石墙间有一条阔路蜿蜒曲折，溪水从两侧的熔岩石壁直流而下，而路面更是砾石遍布，甚至还有巨大的石头因风蚀雨剥从石壁上坠落，横于路上，有的如同农舍大小，这时他们就不得不稍作停留。不过，稍事休息后，他们还是兴致勃勃地出发了，就这样逶迤穿梭，走了不少路；可傍晚时分，智者说他们就像乌鸦飞一样，没走多远。

路上倒是有不少的野兽和飞禽，小岛和石海小桥上，野兔、黑琴鸡随处可见，墙上的裂缝间还有一只红狐潜伏。拉尔夫用他的土耳其短弓射了一对野兔，加上墙缝的灌木丛中有不少荆豆和帚石楠，足够他们在岩石上饱餐一顿。

这样的日子一晃过了两三天，一路无事，除了拉尔夫在进入石海的第一天晚上，一觉醒来，看到月色下天空中光芒闪耀，但肯定不是月光。他不禁站起身，快步走向智者，抓住他的肩膀，一边把他摇醒一边说："我看到天上的火光了，一定是敌人来了！"

老人在他的摇晃下渐渐醒来，睁着惺忪的睡眼，撑着胳膊环顾四周。待他瞧了一会儿，便不禁大笑道："什么事都没有，王子，躺下来睡吧，还有你，姑娘。这不过是山脉一侧的地火喷发，离我们还远得很呢。现在你也了解，敌人想爬上岩石来追我们不费点周折是不行的；不过明天我们会爬到高处，看看发生了什么。"

于是，拉尔夫和乌苏拉又躺了下来，但拉尔夫却再也睡不着了，他就这么盯着头顶的那片亮光，看着它在月落和破晓时分间变得越发耀眼明亮。不过最后他还是睡去，再醒来时已是日上三竿。

第二天上路，他们发现石海的情形已与昨日大不相同：光洁有序的岩石被灼热的岩浆融化，凝结成一堆堆的乱石，如同出自巨人的邪恶之手；脚下的路则淹没在一片错乱参差的岩石中，就像走入了迷宫，再也不像之前那般一目了然。还好有智者领路，一路并无太多磕绊，时不时还会看到剑与三叶枝的标记。天色渐暗，地火再次变得耀眼明亮。晚饭后，智者说："跟我来，难得有这样的地方，这里有台阶通往巨石顶上，我们爬上去看看。"

于是他们爬上石顶，这块岩石的顶部高出了整个石海，因此视野变得极为广阔。他们站在岩石上向北眺望，看到远处山脉的海岬上升起巨大的火柱，顶上浓烟滚滚；高耸的石墙因为烟和火的反射泛着灰光，每当月亮升至深水处，就会往石海射出一道光芒。远空中还夹杂着阵阵雷声，下午和傍晚赶路时他们都曾听到过雷鸣。

智者说："那火离我们还远得很，尽管如此，风往我们这里吹还是能闻到烟味，浓浓的黑烟远看更是遮天蔽日。这里距尤特堡并不算遥远，火柱对他们来说可能是个颇有寓意的东西。那个海岬被称作巨人之烛，人们认为那个火柱对于尤特堡王座上的君主来说，预示着不利。"

拉尔夫把手放在乌苏拉的肩上，说："希望智者说的可以应验！"

她把手放在拉尔夫的手上，说道："三个月前，我还躺在伯顿乡的卧榻，如今我们来到了这广袤、荒无人烟之地，生命还受到地火之源的威胁。我从未见过这样的情形，你也一样，噢，我的朋友，这将会永远成为我的一部分。"

拉尔夫听到她的话喜不自胜，智者看着他们两个暗自发笑。

他们从巨石上下来，在这漫天的火光之中躺下：地火的喷发声时不时席卷过他们身体下的灰色石海，只有听到马儿吃草的声音近在耳边时，他们才稍感慰藉。

次日，拉尔夫三人继续走在熔岩凝固而成的路上，他们越走越高，待到日落时分，蜿蜒的山路终于走到尽头，在他们和巨大的海岬之间，已经别无他物，只有一块广阔的绿地，绿地上一些矮小的土丘随处可见，土丘上长满了灌木丛，还有些不算高大的树木。这时智者说道："我们现在就在这儿休息，我觉得明天应该再休整一天，你们的马儿可以在这片自由的草地上饱餐，这里生活着许多不为人知的兽类，它们弱肉强食。现在，孩子们，你们就站在往昔奔腾的熔岩之河上，它曾穿流在这些山脉和西边的山脉之间，我们之前曾从那里跋涉而过。再说一次，现在如若反悔，还有时间返回，你们也不会有什么危险，如果你们愿意，我会护送你们回到云梦乡。但如果你们还是渴望喝到那圣井的井水，我会带你们穿过绿地，然后我就回我的居所。除非我死了，否则我将会一直在那里等你们回来。"

拉尔夫笑着说："智者，我不会带着遗憾回到爱普觅斯的，历尽千辛万苦来到群山入口，岂会因莫名的恐惧而放弃。"

话音刚落，就听到乌苏拉含笑的声音："没错。要是你把我一个人丢在广袤无垠、孤立无助的原野中，就是根本没把我们的友谊当回事；而你的人格，也会因为放弃连女人都不害怕的东西而一落千丈。"

智者用仁慈的目光看着他们两个，说："是的，尽管世界可能还会带给我更多惊喜，但这就是我最后要说的话了。看看你们，一些人滥用水井的恩赐干些坏事，一些人用来做好事；我则是懦弱迂腐的一族，害怕滥用而不敢用它：现如今，如果你们能回来，谁知道我会不会不再恐惧，而是用尽一生成为一个强大的人呢。过来吃晚饭吧，我们生起旺盛一点的篝火，这里可能会有熊、猞猁、狮子之类的野兽出没，因为这片绿地和熔岩上流下的水源是野兔、公牛和山羊们的乐土。”

石缝间灌木丛生，他们砍了很多木柴，生起熊熊的篝火，然后把马牵到附近，就躺下休息了。晚上还听到四周有野兽在吼叫，黎明前，在月光和地火朦胧的亮光下，他们看到一些大型野兽的影子。然而这些野兽并没有上前惊扰他们，就这样，这夜倒是相安无事。

Chapter 10

群山入口

那天，拉尔夫一行让马儿在周围吃了些草。其间智者时不时向他俩提问，看他们是否熟记去往圣井的道路，没想到他俩倒记得挺牢。

那晚，他们又歇在了先前休息的地方。次日，他们早早醒了过来，在智者的带领下穿过平原，直至群山脚下才停下脚步。他们惴惴不安，心都提到了嗓子眼，眼前这黑色的巨大山脉比火之高墙更叫人害怕。他们仍有很长的路要走，他们从熔岩海出发，直到第三天中午，才抵达了这片已被烧焦的海岬山脚。这海岬看上去巍峨雄壮，直通天际，只有翱翔苍穹的雄鹰才知道这些山峰之上的景色。

平原和群山间并无任何山麓或坡地之类，只有一些从悬崖上坠落的乱石，在地上堆出了造型奇特的迷宫。在智者的带领下，他们终于从迷宫中走了出来，来到了海岬的一侧。这海岬看上去非常雄伟壮观，世上鲜有山脉能与之相比。一开始它几乎九十度垂直于地，后来随着他们离它越来越近，便有突出的山石遮蔽视线，以致拉尔夫三人难窥其全貌。之后他们又来到了它的侧翼，这是他们一直想到达的地方。智者大声呼唤着他们，让二人顺着他手指向的方位看去。只见黑色悬崖的一侧平整光滑，石面在太阳的照射下闪闪发光，仿佛出自先人或巨人之手。就在这块原生岩石之上，刻着一名右手持剑、身披战袍、头戴古派盔甲的战士。他目光锐利，神情严肃，全身约六十英尺高，主身岩石质地坚硬，可供人一窥全貌。

此时，他们来到了海岬从山脉中突出来的一角。他们查看了一会儿后，离别的时刻终于来临了。智者转身对拉尔夫二人说道：“我就送到这了。我能告诉你们的也都说了，只希望你们能不畏艰险，勇往直前。你们最好在白天赶路，而非黄昏之后，所以抓紧时间吧。”

拉尔夫二人下了马，纷纷上前亲吻老人的脸颊，并拥抱了他，由衷地感谢这位长者的倾心帮助。然而，老人默默地从他们的怀抱中抽出身来，一句话未说，转身便离开了，没走一会儿，他的身影便消失在山脚的岩石后面，再难看见。见状，拉尔夫二人便又各自上马，谨记劝言，安静地上路了。

没走一会儿，他们便发现有岩石挡在前方，只留下一条非常狭窄的小路。这时黄昏已过，从石缝间仰望出去，隐约可见头顶闪烁的星光。在这无尽的石漠里，很难看到什么东西，不过还好他们早已将路线烂熟于心。他们像是行走于高墙林立的监牢之中，永不知何为尽头，于是当天黑下来的时候，二人都非常高兴。

拉尔夫在一处石堆里发现了裂谷，里面尚有一些容身之处，只是那儿青草稀疏，会饿着马儿。拉尔夫带着乌苏拉进去，找了块石头坐下。他们长时间地沉默着，巨大的悲伤笼罩着拉尔夫，他不知道自己到底是睡着了还是醒着，是活着抑或死去了。突然，乌苏拉甜美的声音在他耳畔响起，那熟悉的声音问他关于爱普觅斯的花花草草，问他水中的鱼群和他父王的宫殿，还提及了他的兄长和生他养他的母后。这样问下来，拉尔夫忽然觉得内心平静了许多，他不再感到担忧和害怕，终于渐渐回过神来。他知道他的朋友、他的伙伴在对他说话；他知道自己此时此刻正坐在她的身旁；他更明白当乌苏拉俯首过来，那少女独有的馨香便在他的鼻间挥之不去，从而让他愈加坚定，不再彷徨。此刻，那些往昔的可怕回忆，和如今少女的甜美可人，以及其他扰人心神的事情都掺和在了一起，使得拉尔夫开始低泣起来。乌苏拉连忙起身，从行囊里拿出些食物，又回到拉尔夫身边坐了下来。拉尔夫擦了擦眼泪，对她笑了笑，在心里暗暗责备着自己孩子气的行为。他们在旷野里找了处角落，一起吃了饭，喝了点东西。拉尔夫渐渐开心起来，又有了说话的兴致，他开始告诉乌苏拉很多关于爱普觅斯的事情，那些关于他祖先、亲人和朋友们的故事，这一切仿佛都只是昨日之事，历历在目。他们聊了一会儿，直到彼此再也抵挡不住那来袭的困意，终于沉沉睡去了，而那夜自然一觉香甜，并无噩梦。

Chapter 11

甜栗子谷

次日清晨他们继续上路，发现路况与昨天没什么大变化，白天他们依然沿着叫人提心吊胆的大路前进。夜晚来临前，二人来到有河水流经的岩石上歇息，不过这里能为他们所用的也只有水了。拉尔夫兴致不错，从小河中打来水，又尽可能把栖息之所收拾得舒服妥帖。吃饭歇息时，他对乌苏拉说："昨晚你让我振作起精神了，整夜里大多都是我在说，你在静静听。今晚反过来，我来问你个问题，然后就洗耳恭听你那美妙的嗓音了。"

她笑了笑，开心地说道："事实上，亲爱的朋友，跟你说话时，大部分时间我只能听到你的声音，而听不到我的，我的声音好像是来自沙漠；但听到你的声音，我就仿佛觉得活生生的世界还在等待着我们归来。"

他安静了片刻，内心被她的话深深打动，差点就同样情意绵绵地回复了。但他担心她会对他冷脸相对，因此故作粗鲁地说道："我的朋友，我恳求你告诉我你家乡的故事，就像昨天我告诉你的一样。"

"乐意之至。"她说。接着她就开始讲起她的成长经历、她的双亲、过世的姐姐，以及她的弟弟。拉尔夫在伯顿乡时曾经见过她的弟弟。她还讲到了那些追求她的单身汉们，打趣他们，但却没有带任何的恶意。乌苏拉声音甜美，吐字清晰，荒野在拉尔夫面前似乎变成了熟悉的地方。黄昏中他拉着她的手，说道："还有，我的朋友，我第一次在伯顿乡看到你时，你正因为一个男人在哭，他现在怎么样了？"

她说："我和你就像是挚友，我就照实说吧。你离开后不到三小时，我就知道了他的消息，他既没有死也没有受伤。空着的马、沾满鲜血的马鞍不过是障眼法，这样主教大人的手下就不会再追他，也可以说，如他所愿，他可能已轻率地宣誓加入了四湾镇的骑队，事实上，他已经厌烦我和我所追求之物了。而且，我必须告诉你，我现在明白，当我在你面前哭泣时，一部分是出于怨恨，因为我发现我的内心（尽管我努力地否认这一点）对他的爱微乎其微。"

"好吧，"拉尔夫说，"那你什么时候明白的？"

"亲爱的朋友，"她说，"别再追问了，我现在还不想说。"他大笑着取笑她。一会儿，他们又开始聊天了。

尽管干涸的沙漠、孤独的旅程让人恐惧，但拉尔夫躺在石床上，内心却溢满了幸福。他非常克制，既不敢去吻她，也不敢抱她，他知道她不会接受。尽管他很想知道原因，但还是没有问出口。

他们在山脉中走了好几天，之后的路况不像刚开始那么荒芜了，他们经常还会路过些小山谷，谷中草地丰饶，泉水甘冽，还有少量的树木。经过山谷时，他们总是会休息一下，喂喂马，采集一些食物，打点野味，摘点野果子和栗子。不过在这样的山谷中逗留，对他们来说实在惬意。

最终，这样的山谷越来越多，直到他们发现这些连绵的山谷原本不过是一个巨大的谷，有时被一座山隔断，有时因那突出的礁石而显得逼仄，但谷中却并没有一处黑暗死角；而这山谷矗立在这儿也是傲视雄峰，好似东境山脉上的一条鸿沟。两人非常高兴，他们终于逃脱了石墙间的监狱，如今自由自在；而且按照智者的指引，两人一直跟随着标识前行，一点都没有绕路。

如今，距离老人告别他们的日子已有三十多天，白天日渐短暂，夜晚愈来愈长。一日午前，他们骑过一座崎岖坎坷的山，下山后，他们来到一个宽阔得多的山谷，一块巨礁在山崖上直插而入，将整个山谷劈成两半，之前所说的便是北侧山谷。南侧的谷里，水草丰茂，美丽的河流穿行而过，河两岸生长着巨大的甜栗子树和胡桃树，这是正值栗子成熟的季节。进到山谷之后，两人欢呼雀跃；他们记得老人曾讲过，长途跋涉后，要在此地休整一段时间，还要在这里过冬，因为他们可以用谷里不计其数的甜栗子、胡桃做面包，除此之外，山里还有众多的野味。

于是，两人找到河流的一块浅滩，涉水而过；又按照智者所讲的线索，径直走向海岬岩石的前端，在那儿发现了一个山洞的入口，边上还有剑和树枝的标志。得知已来到了过冬之所，二人欢天喜地，立即下马，走进洞里。山洞的入口开得很低，他们只好匍匐而入，不过里面却别有洞天：高大的石洞一尘不染，芳香宜人，如同一个巨大的石宫。

他们在那里安顿了下来，竭尽所能，准备过冬所需。第二天，两人忙着采集栗子，他们把栗子晾干，做成干粮；同样他们还收割了胡桃。此外，两人还去猎了鹿回来，大大小小的都有。拉尔夫甚至冒险猎杀了两头熊。回到谷中，他们吃着栗子和浆果，觉得两头熊对于他们来说已经绰绰有余。很快他们便储备了足够的皮毛用来铺床和做冬衣，乌苏拉开始飞针走线地做起了针线活，裁衣缝被，包办了一切的女红。简短地说，他们贮备了足够的和以备不时之需的食物和衣物。

Chapter 12

冬日生活

总的来说，他们有的忙了。时间一天天过去，日头变得不再难挨，就连征程带给他们的沉重感也随之减轻了不少。拉尔夫二人要在这里等到春天来临，河水融化之后才会重新上路。慢慢地他们习惯了这里劳累的冬日生活。如今，就连劳作在他们眼里都变得可爱起来。尽管拉尔夫身为王族后裔，但他在体力劳作和手工制作方面已变得游刃有余，跟农民已然不分伯仲，都快成了一个十足的自耕农。至于乌苏拉，她本身就是个乡下女孩，打小自田间长大，所以很清楚劳作的事情。

他们啊，不管发生什么，都深爱着对方，彼此间开诚布公，几乎无所不谈。事实上，拉尔夫深爱这名少女，他相信乌苏拉必定也全身心地爱着自己。他如今非常确信不管发生什么，他都将全心全意地爱慕她。他渴望亲吻她，想要拥抱她，就像所有男人面对心爱的女人一样，但是他又害怕她的拒绝。为此拉尔夫努力克制着自己，以致这段时间他总是饱受情火的煎熬。

现在除非路上会遇到凶猛的野兽，否则他们都不怎么穿盔甲了。乌苏拉把少女装穿在了骑士服和先前打来的鹿皮之间，让它看起来尽量不那么奇怪。他们也很少骑马了，只有在要把东西拉到石屋时，才会给马儿安上树枝做成的雪橇。至于山谷里的野兽们，它们嚼着青草，个个都长得飞快。而在山谷海湾的高处，那面朝北部群山、沙石成片的地方，则长着大片的燕麦。自从那天夜里尤特堡的恶徒在他们面前消失以后，除了先前的智者，他们其实已经有很长一段时间都没见着人了，当然也没发现任何有人的迹象。

就这样日复一日，秋天慢慢过去，凛冬已然到来。世界一片冰天雪地，狂风咆哮着从山外吹来。如果不是这天气实在太糟，他们或许会出趟山，只要小心些，就不会遇上什么大问题，毕竟他们还是需要到山外打猎，弄回些野味充饥的。

于是他们的冬天就在甜蜜和欢笑声中度过了。他们互相友爱，就像彼此是多年的挚友，而非恋人。

这两人很少谈及这次的旅程，因为它一言难尽，叫人不知从何谈起。不过，他们现在已经很熟了，因此乌苏拉跟拉尔夫说了更多她在尤特堡发生的故事。她在那里所受的羞辱与苦痛已经如此遥远，如今谈起恍若在述说着他人的故事。然而拉尔夫却是越听越气，他说道："哦，以圣·尼古拉斯的名义！回来的路上，一翻过这座山，我们就冲去尤特堡吧，把那对狗男女从那座肮脏的城堡里拖出来杀了，这也算是积德行善、为民除害了。但是你怎么办呢，我的朋友，我怎么能把你也卷入这危险之中呢？”

“这有什么关系，”少女应道，“你去哪，我就去哪，我们的命运早已结为一体。回去的时候，我们可以去问问智者啊。谁知道到时候又会发生些什么呢？还记得我们在石海看到的尤特堡的烛火之光吗，它会不会也预示着什么呢？”少女的这番话很好地安抚了拉尔夫。

不过，他们倒是常常讨论自己的故土，有次谈话中乌苏拉这样说道：“哎，我的朋友，为什么我非要谈论这个话题不可呢？现在只有哥哥还勉强算得上关心我，我还得听他的话，要知道像他这样的亲戚，在我家乡几乎没有了，你知道的，如今都是村邻比亲人还亲。哎，想这天下之大，竟没有我的容身之所。”

拉尔夫说道：“怎么会，所有地方，这普天之下的任何地方，都会对你的到来欢迎之至。我说是就是，相信我。”此刻，王子的脑海中浮现出自己的故乡爱普觅斯，他仿佛已经看见乌苏拉高坐在那宝座之上。

日子渐渐过去，圣烛节①终于到了。这天寒霜解冻，冰雪融化，河流从高山上蜿蜒而下，河水涨潮，漫过两岸，流过谷中的无边草原。拉尔夫和乌苏拉借机出洞走了走，不过他们没能走多远，顶多到了出山口的绿色山丘。河流带来了丰富的野禽，譬如野鸭、水鸭、黑鸭之类，数目之多可使他们想吃多少便打多少。他们还喜欢在河里放下木筏，尽享于浅水处泛舟的

① 圣烛节，又称“圣母行洁净礼日”或“献主节”等，是在2月2日，圣母玛利亚产后40天带着耶稣前往耶路撒冷去祈祷的纪念日。圣烛节被视为春天的开始。（译注）

快乐，如同冬日里玩雪时一样轻松愉快。春天来临时，如酥的春雨滋润着大地，冲走了平原上的污泥，野草在其浇灌下开始重新拔节生长。那雪莲在风中含苞绽放，白屈菜发了新蕊，黑荆棘重新蔓延大地，百合花则娇羞地躲在栗子树间的草丛里。这时节西风正盛，阴雨绵绵，难得有几个晴天，画眉和黑鹂却是一天到晚唱个不停。有天，拉尔夫胡思乱想到，哪怕世界尽头的水井只是一个虚构的故事，而非智者所说的那样，这也要比乌苏拉只把他当朋友而非爱人要好得多。于是，他安静沉默的时间一天比一天长，即使乌苏拉在他身边也无济于事。少女慢慢发现了这一点，却一直忍住没说，只是她的眼中愈发地盛满了爱意，声音也更加温柔无比。要知道，拉尔夫那爱怜的目光每每都会让她心潮澎湃，双颊发烫。一想到他可能同样爱慕着自己，她就激动万分，连呼吸都觉得困难，这对她是何等的甜蜜与折磨啊。

Chapter 13

乌苏拉与熊

事情发生在草长莺飞的春天。这日清晨，阳光明媚，拉尔夫独自一人坐在石屋前，而乌苏拉穿过草地，到河里洗澡玩耍。拉尔夫正将短剑安到一根梣木柄上，好做一根长矛。如今春意渐浓，熊又开始在草地上出没；前几日，他们还在山脉下的海湾处碰到一窝熊，有公熊、母熊，还有几头熊仔；熊也在远处发现了他们，它们凶狠残暴并以此为傲，对猎物锲而不舍，但看到他们手里明晃晃的武器，还是没敢轻举妄动。因此，拉尔夫让乌苏拉出去时一定要带上宝剑，她的剑锋利无比、坚固非常，有了它，乌苏拉便是强大的武士。他想着这些，矛也快做完了，而就在这时，他突然发现，乌苏拉的剑此时却分明挂在门口大树新发的枝椏上，他倒吸了口冷气，立刻跳了起来，拿起长矛，带上宝剑，就匆匆地出发了。他迅速穿过草地，河岸靠近他们石屋的一边生长着许多的栗子树，对岸却只有草地。

他刚到树下，就听到一声尖叫，知道那一定是乌苏拉无疑。他朝着声音的方向飞奔而去，边跑边喊，还没穿过树丛，就看到乌苏拉正在奔跑，浑身上下一丝不挂，后面跟着一头大熊，牛犊般大小。他大吼一声，跑得更快了。乌苏拉也许是因为看到拉尔夫觉得有救了，也许是实在跑不动了，此时她转过身面对熊；拉尔夫看到她手里有把小斧头，她举起斧头狠狠地朝着熊砍去。但那野兽用它特有的方式，跳起后腿，两只巨大的前爪举起，像拳击手一样防卫，把她的斧头一把打落在地。她痛苦地尖叫一声，转身接着跑。而它并不迟疑，紧跟其后，再有几个回合就要将她抓住。这时拉尔夫及时赶到，他把长头矛刺向熊身，刺中后并不急于拔出，瞬间又抽出宝剑，砍掉它的一只前爪，接着又从肩上方向刺向那熊，让人高兴的是，剑正中其心脏，巨大的躯体轰然倒地。

拉尔夫环顾四周寻找乌苏拉，她已经跑回河边，迅速把衣服披上。于是他就站在熊的尸首边上等她，手里依旧拿着宝剑，以防还有别的熊袭击，现在死的还只是那头公熊。不过，他只看到乌苏拉穿戴整齐快步向他走来。当两个人再次站在一起时，他一言不发，上去开始狂吻她，而她也不再反抗，回吻并爱抚着拉尔夫，希望时间永远停留在这一刻。

两个人终于分开，拉着手默默地走向石洞，在路上，乌苏拉讲述起经过。她上岸时，看到一头熊正迅速向她奔过来，她拿起斧头就跑。“我几乎不抱生的希望了，亲爱的朋友，”她说，“但我不该把你一人留在荒野中。”说完，她又转向拉尔夫，紧紧抱住了他，一想到他们二人都活了下来，少女不禁喜极而泣。

他们慢慢走到石洞前，拉尔夫说：“如果你不累，咱们在洞口的草地上坐会儿吧，我想问你一个问题。”此刻她心情愉悦，想到终于可以休息一会，她便舒了口气，坐在草地上道：“我现在心情平复了许多，也乐得歇歇脚。所以你问吧，我亲爱的朋友。”拉尔夫这时坐到了她的身旁。

四周鸟儿正唱得婉转动听，花香随西风袭来，沁人心脾。拉尔夫静静地看着面前的可人儿，说：“问题是，之前你对我的吻是哪一种，是出自朋友还是爱人？你能叫我爱人而不是朋友吗？今晚我们是否可以成婚，你我同床共枕？”

她坚定地看着他，笑容中满是爱意和甜蜜，没有一丝的羞愧和讥讽，说道：“噢，我的朋友，我的爱人！这是三个问题，而不是一个，但我会真心实意地答复你。第一个问题，我的答案是，我的吻与你的一样，如果你的吻不是出自爱意，我就被愚弄了。第二个问题，我要说，如若你是我真正的朋友，叫你爱人也没什么。但是第三个问题，告诉我，为什么这么急？”

看着她在那里闪烁其词，他不禁说道：“亲爱的，看看你周围，还有什么能比得上这良辰美景？既然我们两情相悦，为何不在这春意正浓时洞房花烛？”

“啊，亲爱的！”她羞涩地看着他，“谁来给我们证婚呢？”

“天地为证！”他说，“如此的良辰美景，还有你我都平平安安地活着，能有多久呢？今天，天作地和，没有人会阻止我们，但明天情况也许就变了。想想看，亲爱的，要是一小时前野兽杀死你，我的怀里抱着的就是你的尸骨残骸了。”

“哎！”她说道，“如若能躺入你的臂弯千百次，那么即便你离开，上苍也已待我不薄，我岂能要求更多？但是，我的朋友，我最深爱的人，如果可以让你更幸福，我愿意，如果你想要这样，那就按照你说的做吧。但我想告诉你我的想法，我已经想过很多次，是的，我们的先人在天上注视着我们，当男人与女人结合，一个双方都认识的人应该在此时此刻为我们见证——你知道，良善边民的信使快来了，他们每年春天都会来此地，寻觅是否有寻找世界尽头的水井的人。因此，如果你愿意（除非另有其他），我更愿意等他们到来，希望不要等太久；他们，这些原野居民会和上帝一起见证我们的婚礼。到时我一切听从你的安排。”

“你的要求我怎能拒绝？”拉尔夫说，“我愿意等他们来，真希望他们今天就来！还有件事我要恳求你，在等待他们的时候，我可以像订婚的爱人那样亲吻你，抱你在怀里吗？”

她笑着说：“不，为什么我要折磨你……或者是我？我们都放下矜持吧。”于是她张开双臂，搂着他的脖子，不断地吻着他。

接下来，他们不再说话，只是高兴地听着成双成对的鸟儿们欢唱。最后，拉尔夫说：“亲爱的，当你还在伯顿乡时，偶然告诉了我有关你未婚夫的事，当时你在酒馆里哭泣或者说哭得可伤心了，他对你来说已经无所谓了吗？”

她说：“那是因为看到你我才哭的。我在想，我永远都没有办法属于你，因此才痛苦到流泪。”

拉尔夫说：“我还年少，不够强大，如果足够强大，我不会让你再悲伤。现在我想说，我要带你直接回爱普觅斯，因为爱情更为重要。”

“不可以，”她说，“别再说这样的话了，你我都知道，要是没有喝到井水，回家的路便会要了我俩的命，更别提什么爱情了。”

于是他们又不再讲话，过了一会儿她站起身来说：“现在我得去做点吃的。不过我先要问你，你怎么也不问问我有没有受伤？婚期已近，你就不关心我了吗？”

他说：“当然不是，我怎么可能没有看到你并没有受伤？你的身上既没有血渍，也没有任何污点。”乌苏拉听完，脸颊似有火烧，她说道：“我怎么忘了你的眼睛多么敏锐？”她安静地站在那里，他看着她，爱她如狂。接着他说：“我太幸福了，但是身体却不自在。现在我要去将那熊去皮剔骨，谁叫它差点要了你的命！至于你，一定要在石洞门口，剑和矛就放在手边，全身武装起来。”

她大笑着说：“对一个厨娘来说，这样的装束太奇怪了，拉尔夫，我的朋友。我会照你说的做，我的王子，我的爱人。”

于是拉尔夫走进洞穴，拿来盔甲给她穿上，吻了她，然后就到熊的尸体那边去了，距离他们的洞穴大概有两弗隆。到了那儿他开始干活，在那里花费了些时间，毕竟这个野兽个头庞大。接着，他把熊皮和熊肉挂在树上，走进河里清洗了一番，然后就一身轻松地回洞里去了。

Chapter 14

远方来客

拉尔夫从栗子林出来时，已经能很清楚地望见他们的石屋了。他注意到屋前多出了几张新面孔，乌苏拉站在他们中间，少女的铠甲在太阳的照射下闪闪发光。他还隐约看见了几头牛，每头牛都驮着不少东西。见状，他不禁加快脚步，边走边拔出了自己的宝剑，赶着去看看究竟发生了什么。走近之后，他发现那里站着两名年轻小伙和一位老人，他们带了五头牛，三头为坐骑，另外两头也都载满了东西。拉尔夫看到乌苏拉和他们愉快地攀谈着，于是放下心来，确信这些新面孔便是良善边民的信使。这三人看上去气宇轩昂，他们长相英俊，一身古铜色肌肤，肌肉结实，身材挺拔。那年纪稍长者留了一绺白色长胡须，虽然年事已高，但他双目炯炯有神，手掌也结实有力。他们身着白色呢绒外衣，皆未披上盔甲，各带一把用绿石做刀锋的斧头，让人不禁好奇它们的重量。此外，他们每人还身背一把重弓和一筒箭矢。

拉尔夫走上前，跟这三人打了招呼，邀请他们一同坐于小山丘上，张罗大家用起饭来。那三人和善地回应了他，随着坐了下来，等着乌苏拉从山洞里给他们取些口粮来，而他们面前的火堆里，早已烤上了野禽。过了一会儿，乌苏拉从石洞里走出来，把手里的东西分给了拉尔夫和新来的三人。于是，他们五人围着火堆吃起饭来，又喝了些酒。其间谁都没有说话，也没人提及他们来此的使命，直到吃完饭，众人才打破了沉默。他们谈了谈这春天的气候，那漫山遍野、花团锦簇的盛景，当然也说到了附近的生禽猛兽。

用完饭后，他们三人站起身，朝拉尔夫和乌苏拉鞠以深深的一躬，那长者开口说道："好心人，你们来到这荒郊野岭所为何事？还是你们只是不小心迷失荒野，不知要如何归家？"

"先父，"拉尔夫说道，"我和她一路走来，所行所为皆关乎生死。我们想要去寻找世界尽头的水井。你也看到这些徽印了，我们各自佩戴的那对珠子意味着什么，你一定也是明白的吧。"

长者又朝他们鞠了一躬，说道："我知道的，这正是我们来这里的原因，我们将带领你们直到女巫之居，在那里还有别人在等待你们。你们今天上路吗？如果上路的话，最好赶在一小时内出发。"

"不了，"拉尔夫说道，"出发的话，我们明早天亮再走。现在让我们先坐下歇歇脚吧，我有话要告诉你们。"

于是那三人再次坐了下来。拉尔夫起身拉过乌苏拉，把她带到了长者的面前，他说道：“这个少女，她是我旅途上的伙伴。而今夜，我想娶她为妻，我们彼此相爱，希望你能做个见证。但是你能先告诉我，我们的结合会不会影响这趟旅程？如果答案是肯定的，我们应该摒弃杂念，专心上路吗？”

长者对他们和蔼地笑了笑：“不会的，我的孩子。在我们听来，你们二人的结合并非坏事，而是喜事一桩。这不仅仅是因为我们找到了想要去往水井之人，更是因为你俩之间的至诚至爱。我们年复一年来到这里，就是为了在她返程之时，兑现自己曾向她许下的诺言。我们有多少年没有在这里遇见想要去往水井的人了。你们给我们带来了快乐，我们便还你们些好东西，看看牛驮着的这些衣服、粮食和美酒，投之以桃，报之以李，早上你热情款待了我们，我们必定也会回报你。如果你们愿意，我们可以在你们新婚之夜，为你们在那栗子林里建造新房，如同我们自己乡亲的新房一样。”

拉尔夫点点头，感谢他们如此用心。于是那老人喊道：“快站起来，我的孩子，让我们看看你的好手艺！”拉尔夫当即站起身，跟他们一起把牛拴好，把负重都拿了下来。做完这些，他们穿过草地，一同走进了栗子林。他们砍了些柳枝和一些别的树，还收集了些树桩和树枝。在那三人的要求下，他们五人一起干活，相处得非常愉快。毕竟，对于拉尔夫和少女来说，能在这么多个月后重见人类，并且还能跟他们说上话，还是让人非常高兴的。至于良善边民一行中的两个年轻人，他们不禁惊叹于乌苏拉的美貌和拉尔夫的英俊善良。

到了晚上，一个精致的小木屋就这样诞生了。他们用洞中贮存的兽皮作顶，配以花环作为四周的装饰，房间的地板则用鲜花铺上，衬得整个房间喜气洋洋。弄好这一切，众人便回到了石室前的小丘上，在那儿，长者打开包裹，把食材一一拿出，在火堆前烤起了蛋糕。此外，圆桶里盛着陈年美酿，盛酒的木杯雕工细致，新人的礼服由上好的羊毛制成，并配以彩羽作饰，虽然造型奇特，但是谁都不能无视它的美丽。

吉时已到，新人准备就绪。肉已上桌，酒杯亦满，众人在草地上席地而坐，婚礼便这样开始了。晚宴从黄昏持续到了黑夜，直到月光洒满了大地，这才终于停下。终于，拉尔夫站起身，拉着少女走到了长者的面前，恳求他为他俩主婚。于是拉尔夫和乌苏拉在众人的见证下，结为夫妻，成全了他们的爱情。拉尔夫和乌苏拉亲吻了这些远方的朋友，随后执手穿过夜色，回到了自己的新婚小屋。

Chapter 15

良善边民的土地

一早他们就收拾好准备出发，其实他们也没有什么好带的，只是高高兴兴地出发了。对于拉尔夫和乌苏拉来说，冬日蜗居在此更多的是幸福而不是怨恨。上路时天色尚早。年轻人对他们的马儿还有盔甲非常好奇，他们之前从没见过这样的动物；长者说他年轻时曾经带领过一个寻找水井的人，他也骑着这样的马，并穿着骑士的盔甲战袍。

他们一路上所经之地并不荒芜，三天时间他们就已经走出山脉，又过了三天，他们身后的山脉就化作了一朵云彩，大地却变得越发怡人，谷里风景绮丽，山丘绵延不断，尽管没有看到什么人，他们的旅途还算轻松愉快，只是他们的牛就如同老马一样行动迟缓。离开甜栗子谷的第八天，他们看到山坡绿地处有一群绵羊，还有四个牧羊人——两个农夫、两个妇人，他们愿意给拉尔夫一行带路。尽管这几个牧羊人长相粗鄙，穿着简陋，但却满怀善意地招呼拉尔夫等人，对他们更多的是崇拜而非仅仅是友好，对他们的马儿和武器更是感到非常惊奇。于是这一行人继续前行，第二天他们到达一个宽阔的山谷，谷里水草丰茂，树木随处可见，还散落着一些农舍。在谷中他们遇见了很多人，有农夫也有农妇，还有干净整洁的羊群。他们路过田地时，发现那里玉米苗长势喜人，山坡上葡萄园的葡萄枝蔓正抽出新芽。这片土地看起来美不胜收，这里的人们也非常的友善，甚至对他们过于尊重。

傍晚时分，他们到达城镇，城镇亦是设施简洁，没有抵御敌人的城墙，房屋既不高大也不雄伟。但是也没有看到污秽饥荒、贫穷，或是贪婪之事。人们看上去心情愉悦，身体健康，穿着当地风俗的白色羊毛衣物、饰品，衣物质量皆属上乘。早有跑得快的人前来通风报信，所以人们都出来迎接他们，他们站在路旁，窃窃私语，低着头以示尊重。

拉尔夫和乌苏拉骑马来到一座寺庙，或称聚集点或客房，因为该处房屋是座伟大的建筑，工匠竭尽所能把房子盖得漂亮。门口是一群长者，当他们拉着缰绳走近，最为年长、受人尊重的老人走了过来，高兴地说：“欢迎，欢迎你们远道而来，这里的人们追求长久与幸福，这里的人们最为友善。”

于是老人们纷纷围上来，让他们卸去盔甲，并把他们带到客房。客房里有男有女，个个都长相不俗，气质高贵，男人们拉着拉尔夫的手，女人们拉着乌苏拉，把他们带到房间里沐浴更衣，给他们穿上制作精美、色味芬芳的白色羊毛长袍。接着他们还给二人戴上花环，又把他们俩带回厅里，这时厅里的人更多了，拉尔夫二人被安排坐在台上，深受爱戴，甚至像被奉为神灵一般。当他们看到两个如此俊美的年轻人坐在那里，便抑制不住自己的愉悦，一阵阵欢呼致意。

在那里，二人得到的是盛宴款待。酒足饭饱后，年轻人们开始唱歌，歌声甜美，歌词简单，内容无非是些风光优美，住在那里的人如何幸福相爱。

再之后，夜深了，他们被带到睡觉的地方，房间布置得不算奢华，但是一尘不染，芳香扑鼻，鲜花洒落满地，他们在这样的爱巢里度过了甜蜜的一晚。

Chapter 16

女巫之居

次日清晨，尽管拉尔夫二人因为离别非常伤感，但是这些良善边民还是一再敦促二人早早上路。中午的时候，先前的三位领路人皆已准备就绪，只待启程。这段日子里，长者和他的两个孙子因为给天人，也就是拉尔夫、乌苏拉二人指路，而备受当地乡民的推崇。拉尔夫他们像之前一样穿上了盔甲，恢复了过去的行头，只不过这次两头牛变成了五头牛罢了，毕竟长者告诉他们，之后不仅旅途会更为漫长，他们还要穿过一片荒芜之地，那地方几乎寸草不生，荒无人烟，既无野禽，亦无草药。接下来的几天便完全验证了长者的这番话。第一天，他们从镇上出发，来到了荒原的边缘地带。第四天，他们来到其腹地，那里沙石满地，尽管他们要越过一座座山丘，但却并无群山连绵的壮景，这里水源稀少，整个地方臭气熏天。这荒原真是一望无际，若不是有人带路，拉尔夫想他和乌苏拉怕是要被困于此。见此，他沿途做下标记，暗暗记住石堆的形状，以期不忘回程之路。

他们在荒漠中穿行了十二天，第十三天的时候，眼前终于出现了不一样的景象。荒原前方出现了一小片草地，其间流水叮咚，连绵的山丘中有一片广袤的树林。眼前有两条路通往那里，一条要穿过一处沼泽和一小片灌木丛，这还需要一天的时间；另一条则要通过前面的森林，那里除了松树再无其他。然而拉尔夫却选了第三条路，他们先是穿过了一片无树荒原，还好那里水源充足，两人打了不少野味。随后，他们又先后经过了橡树林和甜栗子林。

他们在林中穿梭了许久，记得进去那会儿还是五月，林中树木葱翠，野禽丰富，而抵达女巫之居时，已是六月末了。正值一日炎热的午后，眼前这番景象，不禁让拉尔夫想起丰饶宫大厅里那挂毯绣出的图景。女巫之居原先依循当地西部的房屋风格建造而成，那精心修饰的屋顶，其门窗坚不可摧，庭院深深，山羊在里面悠闲地吃草，小麦一簇簇拔节生长着，一切都是如此生机勃勃。而如今，一切美好皆已坍塌，城堡里杂草丛生，只有那破旧的山墙摇摇欲坠。

看到此情此景，尽管拉尔夫极力克制自己，但还是不禁想起往昔那些令人心碎的回忆，以及那段甜蜜似火却早早夭折的爱情。乌苏拉焦急地注视着他，看着他变幻莫测的神色。

倒是长者比较懂拉尔夫，明白他这是陷入了回忆，也知道他是为林中城堡那庄严肃穆的身姿所慑，于是他开口说道：“如今，是时候实现我们对那尊贵女士许下的诺言了，我们将竭力捍卫此座城堡，使其伫立万年。要知道城里有我们的子民，每年这时候我们都会挑选两三人送来这里，进行定期的打理，使其不至于空置太久。至于那些旅人，我从未发现有想去圣井之处的。只有那么一次，有个头发灰白的老者，跟我差不多的年纪，只不过他手脚已不太利索了。”

拉尔夫静静地听着，明显有点心不在焉。这么长时间以来，那些悲伤都被深埋于心，一日日吞噬着他的内心，如今它们都借着这一刻喷薄而出。他转身看向乌苏拉，两人的眼神在空中相遇，乌苏拉既害羞又有点焦虑地望着他，其中的关切不言而喻，于是他便再也压抑不住这种无助的感觉了，拉尔夫用手捂住脸（他们在庭院门口勒住缰绳），低低地啜泣了起来。他为他死去的同伴而哭泣，丰饶夫人生前来过这里多次，尽管她早已死去，然而她的灵魂却伴他们至此，使他们得以生存。看着他如此痛苦，乌苏拉也不禁落下泪来，毕竟她是那么爱他啊。

长者三人不忍心看他落泪，默默转开了头。他们纷纷下马，向站满乡民的城堡大门走去。慢慢地，拉尔夫停止了哭泣，也跟着下了马，站到了等他多时的乌苏拉身旁，不过并没有牵住她，毕竟他为自己的行为感到羞愧。然而乌苏拉温柔地看着他，慢慢说道：“我的朋友，没有必要感到羞愧啊。尽管我同你一样年轻，但我知道那种所爱之人离世的痛苦，彼此再也不能促膝长谈，那种痛苦我真的明白。所以开心点吧，我的朋友，你的爱将与他们同在。”听完她的话，拉尔夫再次哭了出来，他还很年轻，参不透这世间生死，往日里的乐观开朗不过是伪装的坚强。他哭了一会儿，又抬起头来，飞快地抹去了眼中的泪水，对着乌苏拉笑了笑，说道：“她曾经告诉过我很多关于这里的事情，过去的日子太快乐了，刚才回忆起来，都没有忍住眼泪。”乌苏拉不禁回道：“没事的，我的朋友，你总是这么的善良。你要知道，我有多么爱你。”

接着他们执手穿过了庭院，来到了大门跟前。之前门前站着几名守卫，那些守卫一看到他们便匆匆赶来，想要跪于他们身前以示尊敬。拉尔夫一行当然不肯受如此大礼，便纷纷上前拥抱、亲吻了他们，谢谢他们的热情款待。那些守卫，以及门前等候的乡民们,差不多都年过四旬,个个面目和善,身材魁梧。

于是他们一同走进了城堡，来到了一间房间。丰饶夫人年少时就是在这里惶惶度日，生怕见到女巫一丝不挂地坐着念她的咒语。

众人言笑晏晏，其乐融融。守卫为客人们端上了美酒佳肴，觥筹交错间，五人都心满意足地用完了饭。然后长者说道：“亲爱的朋友们，我给你们介绍一下，这两个年轻人是我的孙子，这位是他们的父亲，也是我的儿子，这位呢，是他们的母亲，你们也都见过了。我们一家世代致力于寻找那世界尽头的水井，这种执着早已融入一代代的骨血之中。虽说这也没什么可称颂的，我来过这里多次，我倾尽全力去了解这个地方。很小的时候，我父亲领我来过此地，那时我们遇到了一位旅人，他是当时唯一一位喝过井水的幸存者，我们非常确定这一点，他就是我之前提到的那位老人，那时他的身体已经非常虚弱了，正在去圣井的路上。可是当他喝完井水回来，整个人都变得容光焕发，身体也强健了不少，比我现在的精神还好。我听到他跟我父亲提及了他自己的名字，他就是云梦乡隐士。”

拉尔夫看了看乌苏拉，说道：“是的，先父，正是因为隐士的相助，我们才能一路走到这里。也正是因为遵循他的嘱托，我们才能在甜栗子林的石屋里等到阁下。”

“这样的话，那他还活着。”长者回道。拉尔夫应道：“是的，他精神矍铄，身体康健，完全看不出上了年纪。”“是嘛，”长者说道，“五十年都过去了，他依然如故啊。”

拉尔夫说道：“请告诉我吧，先父，你们有人去过水井之处吗？”“没有，一个也没有。”长者答道。拉尔夫又问：“那就奇怪了，你们离水井不算遥远，还知道很多前往那里的线索，为什么你们没人去过。”

“孩子，”长者回道，“可能那水井真有让人受他人景仰，延年益寿，甚至尊荣至极，容颜常驻的本事。但这世上并非所有人都能得以永生，为防我们厌倦这所谓的生命，为此，主便为我等创造了仁慈的死亡。如今我们如此康健地活着，个个精神抖擞，无病无痛。然而我却听说，其他国土上倒是瘟疫横行，疾病肆虐。即便是云梦乡隐士所说关于水井的言语，我也未曾全信。我们并不醉心征战，亦不牵挂难以企求之物，正是这样，我们才得以长寿。我们不敢奢望活得更久，以免惹怒诸神招致战争和疾病，让众生陷入令人沉沦的欲望，使得人世对这未尽的生命产生无力的倦怠。更何况，我们也不会去寻找那世界尽头的水井，只因那些找到并喝下井水的人都变得更为健壮睿智，成了人神。随后，那些人也许就会折磨我们中的一些人，成为他人难以承受的梦魇。我们听说其他地方就曾经发生过这样的事情，我们不愿此类事情也加诸在我们身上。”

拉尔夫垂下头，一言不发地沉默着。他对此番旅程的热情，正随着长者一字一字吐出的这些话而慢慢消磨殆尽了。长者对着他笑了笑，继续说道：“对于你们，我的客人们，情况则截然相反。你们远道而来，就像所有故事里说的那样，身体强壮，寿命绵长，但是你们却花上一辈子时间，去追寻那些求而不得的东西。你们胸怀大志，目标高远，渴求主宰这人世。你们在时间的长河中，为了这目标不懈奋斗，不惜拖垮自己的身体，于是便慢慢领悟到了疾病和苦痛的滋味。你们很多人无法颐养天年，只得早早离开，空留一堆身后事，而那些未竟的追求，也只能留给后世之人了。这对所有人来说，都是遗憾至极的。也正因为如此，你们才会渴望健康和繁荣，无论它们给予的结果是好是坏。所以去找圣井吧，只要你认为这是正确之事，去更好地完成自己的使命，从那些愚昧与邪恶之人的手中拯救出自己的子民吧。”

听完长者的这席话，拉尔夫慢慢红了脸。乌苏拉焦急地看着他，然而众人已不再谈论这个话题，又说起了别的轻松愉快的事情了。

之后，拉尔夫二人在守卫和领路人的带领下去林中瞧了瞧。长者带他们去看了林中的古祭坛，这祭坛正是女巫献上祭祀的地方。接着还带他们去了戴着探寻者珠链的女子的葬身地，她就是在这林中雪地上被夫人发现的。而城堡旁边的空地，则一贯是女巫用来折辱奴隶的场所，这位奴隶也就是后来的丰饶夫人。之后呢，他们又走了很长一段路，一直走到了学知谷，在那儿的荒野上，他们遇见了国王的儿子和皇后。如今，这片土地已经成为良善边民的圣地，对拉尔夫来说也亦是如此。城堡里有一个精美的约柜，那约柜里仍摆放着丰饶夫人的遗物，如鞋子、罩衫之类，每件都用上等的布料包裹了，其间还放入了香料用以去味，他们对这些遗物的膜拜，与寻常百姓别无二致。另一个约柜里则有一本关于水井的书，书中详细地说明了要如何去到那里。这本书正是之前智者提醒拉尔夫二人要多加留心的那本，那位和善的长者告诫他们一定要读进去，要用心去体会书中真谛。那时候，他们两个独自待在丛林的祭坛处，穿着听智者上课那天穿的服饰，彼此互相帮助，领悟到了很多奥秘。而如今这约柜之中，智者所提衣物正静静地位于书旁。自此以后，拉尔夫二人每日清晨都带着此书去到祭坛处，反复咏颂，直到参透其中的大多奥秘。

研读此书大概耗时八天，第九天的时候，他们休息了一天，与主人们度过了非常愉快的时光。第十天的时候，拉尔夫二人终于骑马上路，与主人们挥别，踏上了自书中新识得的道路。他们装了尽可能多的面包和粮食上路，当然他们也没忘记带上水囊，这样在抵达沙漠之前，他们还能在最后的水源处把它灌满，以待日后使用。

Chapter 17

死亡沙漠

他们骑马上路，过了女巫之居后来到一片原始森林，一路上他们没怎么说话，这时拉尔夫伸手示意，乌苏拉停了下来，他们来到一棵巨大的橡树下，二人跳下马，卸去盔甲，坐在草地上缠绵了一番。想起过往的痛苦，艰难的旅程，还有两人之间的爱情，两个人都忍不住低声啜泣。之后，他们俩靠在橡树干上，拉尔夫说道："如今我们两个又独自上路，荒野漫漫，我们可能离世界尽头的水井不远了。这让我突然想到，如果能找到水井，我们也可以活着回到故土；然而当时光流逝，你我年华老去，也许我们外表看上去并不衰老，但我们的内心将如同现在一样孤独，周围的人也如同这周遭的树木和野兽。"

她看着他大笑起来，笑得上气不接下气，说道："亲爱的，现在就考虑这些会不会太早了？但是我敢肯定，到那时，我热爱彼时乡民的那种心情，一定正如今天我对这些树木、野兽的喜爱。”

说罢乌苏拉站起身来，她张开双臂，上前环抱住树干，俯身开始亲吻它斑驳的树皮，而拉尔夫此时正躺在地上，他见状不禁吻了吻少女光滑的脚背。这时来了一只知更鸟，在他们近前的树枝上跳来跳去，这片森林中的动物并不了解人类，对他们很友好，与其说害怕他们，它更害怕他们的坐骑。乌苏拉跪了下来，一只手抱着拉尔夫，一只手伸出让知更鸟停在她的手臂上，如同蒙着头的猎鹰站在驯鹰人的手臂上，在那儿鸟儿开始婉转啁啾，好像在和新来的人们讲话。乌苏拉喂了它一些碎肉，作为演出的奖赏，小鸟飞到她的肩上，偎依着她的脸颊，她高兴地笑起来，说：“你看看，亲爱的，野兽们知道我在说什么，派它们的信使来了，你看它是不是在预告我们，一切都会顺利？”

“那很好啊，”拉尔夫笑道，“但你的橡树没有说话，尽管你亲了又亲，看，没有肉给它，你的知更鸟朋友也飞走了。”

“它飞往世界尽头的水井了，”她说，“并让我们前行。我们上马快走吧。如果你想知道我内心深处真正害怕的是什么，那就是，喝完圣井里的水，你便会离我而去。”

“好吧，”拉尔夫说，“我害怕的是根本没有圣井，或者找到了也无济于事，回去的路上，死亡会将我们分开。这便是我害怕的事情，我的心魔。”

乌苏拉双臂拥抱着拉尔夫，吻他，爱抚着他，大声说：“是的，我们历经的旅程多么奇妙，此时的橡树又多么青翠！是你的勇敢真挚让我们走了这么远，并赢得了我的爱。”

于是他们又穿上盔甲，骑上马重新上路。在森林中他们补给充足，过得安然无忧。但是到了第三天，树木越来越稀疏，直到最后完全消失，前方的道路和去女巫之居前的路一样荒芜，但这里的荒石沙漠布满了连绵起伏的山脊，远远望去，如同浩淼无际的大海翻起了层层波浪；在东境山脉，他们也曾为了避免在群山山谷中迷路，走过这样的山脊。

他们到达了沙漠，在一条清澈的小溪那儿灌满了水囊。在那里，他们惊喜地发现，沙漠刚刚出现的地方有一片盐碱地，一些鼠尾草点缀其中。

进入沙漠的第二天，他们爬上石头山脊，拉尔夫凭借目力察觉到情况，他大叫道："停！我看到有个人身上带着武器。"

"在哪里？"乌苏拉问道，"他在哪？"拉尔夫说："就在那边山脊的半山腰，他看着像是靠着岩石睡着了。"

接着他拉起土耳其短弓，上了箭，小心翼翼地前行。到了山脊的下方，拉尔夫大声招呼那人，却没有回音；于是他们就一直往上爬，直到拉尔夫说："现在我能看到他头盔下的脸，面色全黑，双目空洞。我下马过去看看，你，亲爱的，骑在马上，不要下来。"

当他靠近，转过身，对她大喊："他已经死了，过来吧。"她骑过来，跳下马，两个人一道站在那个人面前，那人靠在岩石上，像是在休息。天知道他在这里多久了：在这片干涸沙漠的盐碱地上，这具尸体尚未腐烂就已被风干，附在皑皑白骨上，如同发硬的皮革；尸骨上的盔甲奇怪而古老，剑佩戴在一侧，周身上下都没有受伤。他们在附近的悬崖下找到他的马，马和他一样死去且已风干。在不远处的山脊下，他们又发现了一匹马的尸骸；马旁边是一个女人，她的衣物还没有完全风化，还有头发；胳膊上带着金臂环，鞋子也是金子做的；她的胸口插着一把刀，手还仍然握在刀柄上，看起来是死于自杀。

拉尔夫和乌苏拉用石头将他们埋葬，然后继续上路。但是没走出两里地，又遇见一位死者，同样带着武器，而他边上是一个手无寸铁的老者。他们同样把尸体埋了。

这时夜晚降临，天完全黑了下来，他们躺在荒地里，彼此安慰着，睡了两三个小时，天刚蒙蒙亮，又骑马上路了，二人内心充满惶恐，希望可以早日走出这死亡沙漠。

这一日，事实上，他们遇到了更多的死者，他们不再停下来埋葬他们，否则自己也会葬身于这荒野之中。于是他们尽力赶路，夜晚降临，他们借助星光又走了几小时，因为此时夜色澄明，寒气逼人。最终他们累得实在是走不动，就在尸体中间沉沉睡去。

次日，拉尔夫醒来，看到乌苏拉睡得很平静，他环顾着死气沉沉的沙漠、遍地的尸体，尽管他们在高坡之上，沙漠看起来似乎也永远没有尽头。他轻声对自己说："沙漠会有尽头吗？这些人和我们一样寻找世界尽头的水井；他们有没有可能是从前面的某个地方折返，可无论如何都没有逃脱这片沙漠？我们该回头吗？我们该回头吗？我们当然该回去，回到那片美丽的森林。"

但是乌苏拉坐了起来（她已经醒了）说道："沙漠里困难重重，智者和圣书里不是已经特别说明了吗？"拉尔夫说："但是没有告诉我们，这里有这么多的尸体，还有，虽然我们昨日多次看到了石头上的标记，我们还只是在路上，除非这只是个陷阱和背叛，否则怎么解释？”

她摇摇头，沉默片刻，接着说：“拉尔夫，我的爱人。”她的手放在戴在脖子上的项链上，“你昨日在死者身上看到这个徽印了吗？”“没有，”拉尔夫说，“不过我还真有留心过。”“我也是，”她说，“事实上，我也是日渐焦虑；但是现在，我要说的是，我们还是要信任这个徽印、智者的善意、良善边民的爱戴，噢，远道而来的勇士，是好运把你从遥远的爱普觅斯毫发无伤地带到这里。”

于是他们上马继续前行，看到越来越多的尸体；他们每次上前查看，都没能看到他们佩戴着项链。于是乌苏拉说：“是的，智者之所以没有说，书里也没有提及尸体的事情，也许是因为这不过是沙漠中的常态；如同圣人棺木前洒落的鲜花，注定要被农夫和牧师踩在脚下。事实上，如果他们还活着，还能挥动宝剑，我们也许已被拉去做了囚徒，这就是另外一回事了。一想到这里，我仿佛更勇敢了些。”

拉尔夫叹了口气说道：“是的，即便我们没死在沙漠中，这些人仍然可悲可泣；这么多人殒命于此，这么多的希望被扼杀。”

“是的，”她说，“但是这些人不是死于过去的岁月吗？不久之前我在尤特堡的情形比这糟糕多了。另外，我还注意到，这批死亡大军，并不是同一年、同一天来到这里的，而是在很久很久以前，一个一个来到这里，你有没有注意到他们的衣物和战袍的年代各不相同，一些人明显早于其他人过世，如同这干涸的荒原一样久远？我要说的是，这些人如同死于另一个世界，虽然我们现在才看到，但实际上他们早已不在人世。”

他说：“如果你不害怕，我也不害怕这沙漠，还有这些尸体，亲爱的，我只是叹息这些可怜的亡魂。”

“我也是，”她说，“我们走吧，我们也许能去拯救那些尚待拯救的人们。”

Chapter 18

前往枯树之谷

拉尔夫二人骑马走了一会儿，发现前面又出现了一座巨型山脉，这片沙漠里群山连绵，这座山只是其中之一。他们缓步爬坡，手里牵着各自的马儿，快到山脊之时，却发现中间竟然横跨了整个裂谷，遥遥望去，只见远方之山有若干巍峨的角状物从山脊处直通天际。二人见状惊讶不已，纷纷拔出自己的宝剑，留在原地观察，猜测前方可能是沙漠中的巨兽。然而一段时间过去，他们发现那东西一动不动，于是他们这才鼓起勇气，继续前进了。

长途跋涉之后，他们终于抵达了那座山脉。他们四处看了看，居然发现山后还有一处山谷，该深谷四面环山，只余一条小径蜿蜒而出，就像是古罗马的圆形剧场，在某些地方仍能得见。这沙漠剧场从不缺乏观众，那深谷之中尸横遍野，有孩童有妇人，更多的则是配有武器的男人，他们死去时，仍有很多人手持利剑。猎猎风中，他们衣角翻飞，女人的长发也随风飘舞，好似他们从未死去一般。而这干燥的剧场中心则生长着一棵参天大树，其树顶就是他们从山腰处看到的尖角。它枝叶稀少，而树干却差不多有五十条胳膊合抱起来那么粗，当人们看着它的时候，都会不禁怀疑它是出自人工之手，而非自然之力。其树根处则是一汪清澈的泉水，那泉水清如明镜，映出了一侧山谷的倒影，以及沙漠里那晴朗的碧空。那树干上挂满了各类盾牌、骑士铠甲、大剑、长矛、巨斧和锁子甲之类的东西。整棵树拔地而起，尽情俯瞰这山谷，足有百来英尺那么高。

这景色简直太壮观了，以至于拉尔夫二人都不假思索地叫出了它的名字“干涸之树”。这时拉尔夫还剑入鞘，开口说道：“我想我们必须得下去看看。那里没什么危险，所有人和我们之前遇到的一样，都差不多死掉了。”

乌苏拉的脸因为激动而变得通红，她眼睛闪亮，转身对拉尔夫热切地说道：“好吧，好吧，我们赶快下去，说不定还能发现些新的东西。”

于是，她也收了剑，与拉尔夫一道下山。这山坡地势较缓，容易落脚，二人一路上也没再遇到什么困难。他们在途中看到了很多死去的人，并经常回头观察这些尸体，他们发现每一个死者均是脸色发黑而又面带微笑，就像是死前遭受了极大的痛苦，却又被人伪装过一样。这些脸看起来都是如此的相同，就跟出自同一个工匠似的。

最后，拉尔夫和乌苏拉终于来到了干涸之树下面，他们先抬头望了望枝干，又观察了会儿脚下的泉水。从水里看上去，干涸之树就像是从水里长出的一样，但是拉尔夫二人仔细观察了它的树根，发现它们是从泉底深处的泥土里长出，破芽到了水中，然后在那壮大延伸。接着，他们绕树走了一圈，抬头看了看枝上挂着的盾牌，发现尽管它们林林总总，样式繁多，但却没有他们认识的盾徽。而盔甲和武器之类的也都是各式各样，让人眼花缭乱。

于是，他们又回到了一开始站着的地方，拉尔夫说道：“我口渴了，你肯定也是吧。看这泉水如此清澈，我们不妨都尝尝看，这样还省下了水囊里的水，这沙漠估计还有得走呢。”说罢，他弯腰跪在地上，以便能俯身用手舀到泉水。但是乌苏拉却一把拉回了他，惊恐地叫道：“哦，拉尔夫！千万别！不要再看这泉水，尽管它澄明如镜，清澈见底。平常刮风时，就连我们的衬裙都会随风轻摆，而这泉水却始终平静无波，很明显这里面盛满了毒液啊。而这里又没有像其他水源处所有的标识，所以一定要忍住啊，拉尔夫！”

拉尔夫在她的拉扯下，不情愿地起了身。他们又默默注视了一会儿眼前的景象。有一只乌鸦飞来，停在了谷中一具尸体身上。它朝着干涸之树叫了几声，接着飞到了泉水旁边，往前迈了几小步。它把嘴伸进了泉里，喝了口水，然后振振翅膀就又飞走了。然而才飞离地面没多久，它突然发出了一声凄惨的哀啼，直直从半空中掉了下来，最终跌落在他们脚下，当即便死掉了。看到此景，拉尔夫惊叫了一声，久久说不出一句话来。此时，乌苏拉说道：“看吧，我们在鬼门关前走了一遭。”她仔细瞧了瞧拉尔夫，慢慢地脸色变得煞白，她急切地说道：

"喂，我的朋友，你怎么了？"说完，她并没有等待拉尔夫的回应，而是转头去看了他们下来的那个山坡。突然，她像是发现了什么，大声尖叫了起来："天哪，拉尔夫！拉尔夫！看看我们下马的山脊那儿，快看啊！快看！那里有什么东西在闪闪发亮，是好多长矛！那些长矛下面还有许多盔甲！我们得赶快离开这儿，一定要保住我们的马！"

拉尔夫不禁发出了一声惊叫，他三步并两步地跑往山脊那边，压根没时间去注意乌苏拉。不过，还好乌苏拉紧跟在后，她手脚并用地爬上山，终于在山顶处追上了他。拉尔夫又望了望四周，惊恐地说道："在哪呢，他们在哪？"

"没在哪，"少女说道，"那是我编出来的，好让你远离那个死亡之地。哦，谢谢诸神，可算让我们从这可怕的山谷里逃了出来。"

这时拉尔夫像是什么都没有听见，他只是木木地转过头，双手在空中激烈地比画着，然而挥舞到一半却又突然停下，身体直直摔在了地上。乌苏拉见状，趴在他身上号啕大哭起来，毕竟一开始她都以为他要死了。少女从水囊里倒了点水，抹在了拉尔夫的脸上。做完这些，她又从行囊里拿出一瓶甘露酒，倒出几滴，蘸在了他的唇上，以使他不那么干渴。慢慢地，拉尔夫终于醒了过来，他睁开眼，对她笑了笑。乌苏拉不禁双手捧起他的脑袋，亲吻了他的双颊。他坐起身，虚弱地说道："我们还要不要去下面的山谷看看？那里看上去好像并没有什么东西能伤害到我们。"

"我们已经去过那了，"乌苏拉说道，"真是幸运，我们两个至少没在那儿被毒死。”

拉尔夫站起身，不禁伸了伸懒腰，打了个哈欠，就像他刚从梦中醒来一样。乌苏拉说道：“我们赶快上马，继续赶路吧。对于我们这些寻找水井的旅人来说，睡觉还为时尚早。”

他又对着她笑了笑，轻轻拉过了她的手。她牵着他来到了马前，并扶他上马坐稳，她自己利索地上了另一匹马，接着他们立刻骑马离开了那鬼地方。过了一会儿，拉尔夫渐渐缓了过来，他想起了他倒在山坡前所发生的一切。他由衷地赞叹乌苏拉的聪慧和勇敢，这使得她不禁靠马过来，俯身在他颊边印下了甜蜜的一吻。

Chapter 19

走出沙漠

过了枯树山谷之后，尸体越来越少，很快便没有了。尽管沙漠还是寸草不生，和之前一样群山连绵，但是盐碱地也越来越少，第一日情形大概如此。第二天，石峰逐渐平缓下来；再之后，荒漠变成了一处隆起的平原地，匍匐的矮柳随处可见，还有极少的牧草，马可以吃上一点儿，他们已接近弹尽粮绝，急需这些食物。更重要的是水，人和马都干渴无比；他们极度节约用水，不到必要时不敢解囊喝水，以避免缺水而死，即便如此，也所剩不多了。

这一日，他们走了很远的路，夜深了，月亮升了起来，安置好歇脚处，他们躺了下来。歇脚处有一些低矮的灌木丛，那里有少许的草地和柳兰，因此拉尔夫判断水源就在附近，于是二人临睡前和马匹一道，将水囊里的水全都饮尽。夜里他们还听到一些野兽的叫声，但因为实在太过疲惫，连火也没有生。

拉尔夫次日一早醒来大喊，他看到了森林；乌苏拉在他的叫声中站起身来，远眺他所指的方向：没错，两里开外的一片高地上有林木生长，目测距他们不远的地方，是那连绵的黛色山峦。此外，在他们的两侧，左右手两边各有一海岬，他们的前路似乎就在两座山墙之间。这海岬和之前他们所遭遇的都大不相同，它全然黑色，在他们看来，和战人山石旁边的山脉甚为相似，但似乎越往东海岬就越为高耸。

这时他们立刻上马，马匹大概是嗅到了前方有水，和他们一样急切地向前奔去。走了不过两三里，便看到一条美丽的小河迤逦向东流去。他们的心情轻松起来，驱马前往，来到河岸，河水如水晶般晶莹剔透，河沙则呈黑色：黑魆魆的沙岸上是丰饶的柳兰，粉红色的花开得正艳。河边立着一块黑石，如人型大小，其上刻有指路标记，他们便知水源是安全的，于是他们两个还有马匹都喝了个够；放眼还能看到更远处的河岸上绿草成茵。喝足水以后，他们光着脚踩在浅水处，尽享河水的清凉，河水不深，刚刚没过乌苏拉的膝盖。接着他们兴高采烈地躺到松软的草地上，享受着肉食，马儿则大口大口地吃着旁边的牧草。饭后休息片刻，出发之前，他们又褪去衣物，一个接一个跳到河里，洗去一路的污秽。接着他们继续休息，让马吃些草，直到下午两点才出发，离开这个怡人之地。躺在草地上时，拉尔夫说他听见了巨大的吼叫声，像是汹涌澎湃的河流，但是听起来非常遥远；乌苏拉则只看到前方森林的树枝在风中摇摆得越来越厉害。

Chapter 20

世界尽头

那天，他们进入了森林，可未待走入腹地，二人便已筋疲力尽，实在是需要休息一下。在森林中，拉尔夫射杀了一只野兔作为晚餐，之后他们还生起了火堆，用以驱赶森林里的凶禽猛兽。尽管夜色愈深，但他们还是能听到动物的嘶鸣，然而那晚却是平安度过。长话短说吧，那夜他们一觉睡到了隔天清晨，起来时二人都感觉神清气爽，马儿在一旁也快活地打着响鼻。他们并没有多做耽搁，又匆匆赶了一天的路，发现这片林子并没有想象中那般广袤。快日落时，他们来到了树林边缘，发现有一片山脉横亘于眼前。它们看上去并不像通往栗子林要经过的那片高墙，与其说是山脉，不如说它们看起来更像高山，山上绿草如茵，山脚下全是树木，看上去并不难以逾越。

第二天，他们通过一条标记过的小道进入了群山，这小道九曲回肠，蜿蜿蜒蜒，指引他们来到了最为宽广的草地之上。

当晚，拉尔夫二人歇在了山边一处环境适宜的小山洞里，周围一切都静悄悄的，只听见远处水流那咆哮的奔流声。他们认定那是大海的声音，因此都变得非常高兴，毕竟他们从智者和那本书里知道，要想去水井，他们必须先抵达那环绕大陆，位于世界尽头的海洋。所以，他们第二天早早起了床，开始徒步翻越这座山峰。这山路虽然遥远，不过还好没有太多崎岖的陡坡，五小时之后，他们终于登上了山顶。接着，他们翻过山顶，慢慢从山脉另一侧下去，他们俯瞰着下面碧绿色的美丽山坡，其上树木遍地，一片郁郁葱葱。山坡一边的三四英里处，便是那无边无际的蓝色大海，而其另一边也同样被海洋所包围。此时的拉尔夫二人已经快走到海岬尾端了，他们看到那上面空无一物，空荡极了，于是他们明白过来，要是他们最后错过了水井，那么等待他们的也就只有原路返回了。

不过，看到如今这一幕，他们还是开心极了。他们看了看对方，发现尽管他们各自脸色苍白，但是都难掩眼中激动的神色，毕竟他们都明白自己终于来到了这旅程的最后一步，他们马上就能知晓这世上是不是压根就不存在此般水井，这一切可能都只是镜中花水中月罢了。如若不是，那么他们很快便能找到那水井，到时候他们将会拥有面前这整个世界，他们将变得幸福而强大，并受到万民拥戴。

拉尔夫二人在此逗留了一会儿便离开了，他们一步步走下陡坡，最终到达了山底。那里既无巍峨石墙，也无奇壮的大地，而这里，便是世界的尽头。这儿绿草如茵，树木葱葱，流水潺潺，是为汪洋的发源之地，而那汪洋则一望无际，无波无澜，像是千万年都不会有所改变。就在那土地的尽头，有一方不足一百英尺高的悬崖，它整个位于波澜壮阔的大海之上，那海岬的一角则有一块绿色地基，其上有一方石矗立。于是，拉尔夫二人骑马靠近那里，在那里他们发现了方石每一面上都刻有标识。

他们在这块地基的两侧，沿着悬崖边缘各走了一英里左右，除了草坪和海洋，并没有发现什么其他东西。于是，他们重新回到了标识处，一起坐在了草地上。

天色渐晚，太阳慢慢落了下去。借着太阳的余晖，他们突然发现悬崖边有一种形似楼梯的石阶，石阶顶层正好落在标识处。于是，他俩明白过来，这是要他们走下楼梯。然而这阶梯直直通向海底，完全看不清它的尽头。拉尔夫忽然觉得这简直太讽刺了，让一个不幸的旅人贸然从陆地上进入水底，然后一切可能就彻底玩完了。无论如何，他们也不会在光线越来越暗之时，去冒险碰那个楼梯的。于是，他们把马儿拴了起来，任由它们吃着青草，然后他俩在绿色地基后筋疲力尽地躺下，不久便于这世界极地之处睡着了。

Chapter 21

喝到井水

拉尔夫从荒唐的晨梦中醒来，他梦到了爱普觅斯，正疑惑身在何处，是谁在用熟悉的声音呼唤着他的名字；他倚身手肘之上，看到乌苏拉站在他的面前，脸色绯红，眼睛闪闪发亮，她一边轻声低唤他，一边远眺大海的方向。拉尔夫一跃而起，奋力从梦中醒来，慢慢地，视线终渐清晰，顺着乌苏拉所望方向看去，发现了远处奔腾无际的大海。昨日他们看见海水从悬崖峭壁飞泻而下，今日所见的大海浩渺无际，汹涌的海浪与悬崖之间，是狭窄的半里来宽的黑色沙滩，其间点缀着块块岩石，如同点点浓重的油彩。就在他们的正下方，紧靠这悬崖，是一个由石头砌成的巨型人造池塘，池壁有七尺多高，池内长宽各有四十尺左右，里面是一泓清水，他们猜测是有溪水从悬崖流下，注入池中，至于溪水从何处而来，二人从上方并不得而知。只见那池水又经由某个目力所不及的地方流向大海，在前方黑滩上形成一条宽广的河道：但只要那水流注入得过快，池水便会从整个池塘中溢出，将石壁蒙上一层薄薄的面纱。这天丽日当空，风轻云淡，万物沐浴着阳光，烁烁其泽。

拉尔夫静静地站了片刻，然后伸出双臂，放声大哭，他把乌苏拉紧紧抱在怀里，低声不断地说，世界尽头的水井，世界尽头的水井……她蹙眉怜惜地看着他，同时喜极而泣，双手激动地拍打着他的身体。

他们终于从狂喜中平静下来，准备走下台阶。首先是卸去盔甲战袍，赤裸全身，接着穿上从女巫之居的约柜中得到的圣衣。如此装束后，他们拾级而下，拉尔夫先行，以防有扎脚之处。不过这些黑石无一不坚固无瑕，二人平安抵达一处平坦之地，此地可从正面看到悬崖：圣井之水从崖中的洞口汹涌而出，飞流直下，犹如水晶般透明清澈，边缘溅起的水花形成一道拱门，在阳光下熠熠生辉。至于井水涌出的洞口，其上的黑石经由人工打磨得光滑锃亮，上面刻着剑和树枝的图案，图案上方的文字写道：

> 长途跋涉来此地的人啊，若你有勇气承受漫长人生，请饮下这水；否则，休将饮之；无论是何选择，请告知世人、你的朋友、你的族人，你曾亲眼见过一个奇迹。

他们久久地伫立在此，疑惑不解。接着乌苏拉说道：“你觉得，我的朋友，会有人历尽千辛万苦来到这里，却不饮井水吗？”

拉尔夫说：“即便是智者，站在这里也会想起，睿智曾带来的痛苦。”

他看着她，慢慢地扫去疑虑，輾然而笑，随之欢欣若狂，大喊道：“噢，我的爱人，我们还迟疑什么？我还害怕来得太迟，你还未喝到井水便在我面前死去。”

“是的，”她说，“我也担心同样的事情，虽然你脸色红润，眼中闪烁着光芒，如同万军之主耶和华的统帅一样引人注目。”

她大笑，声音如同银铃般悦耳动听，那声音说道：“饮水的杯子在哪里？”

拉尔夫仔细观察了面前的石壁，发现就在他的手边有一壁龛，上面有个镀铜把手，因风化和盐渍已变成铜绿色。拉尔夫拉住把手，用力拉开，这是一扇方形石门，悬在青铜的铰链上，拉尔夫很轻松就拉开了，里面是一个由金匠铸造的水杯，上面也刻有宝剑和树枝图案，杯口处刻着：“内心刚强者饮之。”拉尔夫拿过杯子，把它高举到空中，只见纯金的杯身在日光下反射出耀眼的光芒。他说道：“亲爱的，这是献给你的。”

“是的，也献给你。”她说。

他们从脚下的平坦之地（或称石基）来到了那碧水激流形成的拱门处，拉尔夫见状拉着乌苏拉的手，带着她向前走去，直到靠近那水流，站在水花四溅的拱门里面，他看起来就像爱普觅斯圣劳伦斯教堂里那唱诗楼墙上的天使。接着，他伸出手，把水杯伸到水里，水势很猛，他用力握住水杯，井水溅湿了他的全身，也打湿了乌苏拉的脸和前胸。他的嘴角尝到了井水的味道，甘冽可口，丝毫没有海水的咸味，随即拉尔夫转身，把满满的一杯井水举向乌苏拉，说：“亲爱的，在这水杯前献上你的祝愿！”

她拿过来，说道：“为了你的生命，我的挚爱！”然后一饮而尽。乌苏拉喝完井水，她的眼神就像孩童饮水时那般清澈地望向外面。接着她将水杯递回给他，说道：“喝吧，不要迟疑，不要先我而去，留我一人在这世间。”

于是拉尔夫又把水杯伸进水流中，然后高高地举起，大声说道：“为了这个世界，为了这世间所有的人！”说罢，又一口气饮尽。

有一分钟，他们紧紧依偎在水花四溅的拱门之下，接着，她拉着他的手回到石基处，他又把水杯放回壁龛里，关上门。阳光变得灼热起来，二人来到一块突出的岩石下，在最宽敞的一处荫凉处坐下，一阵甜蜜的疲倦开始席卷他们，尽管如此，二人还是聊了几句。拉尔夫说：“亲爱的，你感觉如何？”

“噢，非常美妙。”她说。

他问：“井水味道如何？”

她已生困意，慢慢说道：“非常甜美，如同你的爱也在其中。”

接着她对着他笑了，不过拉尔夫又说道：“还有一件事让我困惑不已，我们要如何得知这井水起了作用？如果你我身患重疾或衰老厌生，现在不治而愈，身体变得强壮，容貌变得俊美，我们便知是水的功效——但是现在，当我注视着你，我知道自己看见了这世上最美的女人，你的脸上没有任何岁月的痕迹与旅途的劳顿，亦没有孤独与囚禁之苦，就连尤特堡蒙羞也不曾让你失色——在我看来，你一直都是这般迷人，可正因为如此，这要我如何才能得知这井水已起作用？”说着说着，他突然停了下来，定定地看向乌苏拉，此刻，少女也正爱意盈盈地回望着他。渐渐地，拉尔夫慢慢睡着了，脸上还带着笑意。她靠近他的身边，吻着他的脸，这时她也合上双眼，趴在他的胸前，一样睡熟了。

Chapter 22

快乐时光

这夜，月色渐隐，拉尔夫二人睡了很长的一觉。不远处，悬崖与大海之间有一大片光秃秃的空地，海浪时不时猛冲上沙滩。乌苏拉说道："哎，亲爱的殿下，我得承认，你如今看起来可真是英俊，不过你在我眼中一向如此。快告诉我，你现在身上还有伤口吗？如果没了，那就说明井水已然见效，你已重获新生。如果那些伤疤还在，也许有其他地方发生变化了也说不定啊。"

于是他站起身，乌苏拉惊讶道："哦，你现在英俊潇洒，孔武有力，看上去俊朗极了！如今，有谁会舍得拒绝你？又有谁不会爱上你呢？"

拉尔夫说道："看，亲爱的！看那海水冲击沙岸的壮景，那海浪就如同海蛇一般非常狡猾！难道在回去之前，我们不下海玩一下吗？"

“那走吧。”少女应道。

于是他们走下沙滩，沿着溪水的岸边走了一段，这溪水是由那水井中漫溢出的井水汇聚而成，味道甜美甘洌。走了一会儿，拉尔夫说道：“亲爱的，我跟你说说你之前一直要我说的事吧。我十六岁的那年冬天，有一群匪徒利用云梯攻入了爱普觅斯。当年，长腿尼古拉斯运筹帷幄，骁勇善战，他集结了一批武装力量，率领着将士们赶赴战场，当时我曾有幸紧随于他的身侧。当我们赶到战场，历经了一番恶战之后，我们终于把这些恶贼驱逐出城。混战中，有敌人刺伤了我，从我肩膀上剜去了一块血肉，于是我也回以颜色，用剑砍下他一只手掌。这次受伤在我的身上留下了疤痕，就是你以前见到过并十分痛恨的那个。”

“也没那么痛恨啦，”乌苏拉说道，“那是你英勇的见证，并非一个成年人贪生怕死的证明。是的，我确实见过那个伤疤，现在，再让我看看它吧，我想知道它有没有什么变化。”

听了乌苏拉的话，他俩来到了右手边的石头海湾，这里有一处盐水湖，浪花朵朵，河流湍急。这时，拉尔夫说道：“快瞧，这便是边际之海的源头所在。”于是两人飞快地褪去衣服，冲进海里玩耍去了。玩了一会儿，乌苏拉拽住了拉尔夫的胳膊，顺势望向他的肩膀，说道：“天呐，你的荣誉勋章呢？只剩下边缘的白色结痂了，你的肩膀上已经没有剑伤了。”“是吗，没了？”拉尔夫疑惑道。

“没了，没了！”少女叫道，“我的朋友，你在战场上的事都是真的？”“是啊，都是真的。”拉尔夫回道。于是，乌苏拉开心地笑了起来，她那畅怀的笑声如同长笛般悠扬，飘过那涓涓的流水，奔向遥远他乡。随后，她转回视线，望向她自己那圆润无瑕的肩头，她把手轻轻放在上面，又快乐地笑了起来。于是，拉尔夫问道："你怎么了，我亲爱的？为何突然笑得这般开怀？"

她说道："哦，我那皮肤光滑的勇士，你经历了多么荣耀的一战。五年前，当我还是个小女孩的时候，这儿曾被野鹿的尖角撞伤过。如今回头想起，五年前，那个可怜女孩就这样躺在森林的草地上，经过的樵夫还以为她已经死去了。"

待浪花从乌苏拉脚边冲走后，拉尔夫这才弯下腰说道："事实上，这并不是什么标识或者伤痕，恰恰相反，这是上帝的杰作。先父创造出了一位只在画中才有的女孩。你瞧啊，亲爱的，这浪花是如此的轻盈，我喜欢看你莹白无瑕的双脚踏于这草地之上。然而，我却又害怕这汪海洋，它不停搅动着那涟漪，影响着我们心中的悲喜，使得我们无法逃离它那令人窒息的漩涡。"

说完，他们上了岸，从地上捡起各自的衣物，他们发现衣服上染上了不知名药草的香气，然而二人都不甚在意，径自穿戴了起来。穿完之后，他们步履轻盈，一路愉快地来到了悬崖和其石阶边的沙地上。一路上，海浪总是如此调皮，它们总是冲上岸来，跟两人的脚丫玩起了追逐的游戏。随着他们越走越近，他们发现这里有一个池塘，这池塘黑墙环绕，外部有三面以拱形开口，而井水便是从这池塘溢出，最终朝大海奔流而去。他们注目许久，看着这巧夺天工的手艺，不禁在心里暗暗赞叹：它从山脚被切割开来，与周围的山石、高墙融为一体，以此来抵御暴风雨的来袭。

拉尔夫二人爬上梯子，坐在草地上，看着这海水冲击着山石和沙地，随后拉尔夫说道："亲爱的，我跟你说啊，我想立马回去。事实上，刚才在海里我就在想，除了你，我已别无所求，尽管你已伴我身侧，你的快乐让我热情似火。如今站在这草坪上，我不禁想起了喝完井水后，我曾做过的一场梦。在那梦里，我梦见自己站在爱普觅斯宴会厅的门口，那时的我握着你的手，那巍峨的宫殿用人类的声音与我说话，它向我们问好，赞叹着你的英勇和善良。一想到这里，我便想立刻行动起来，如果此刻是清晨，而非快要日落西山，我们就该直接上马，立即动身出发。"

"当然，"少女说道，"你已经喝了这井水，你之畏惧早已转变为敌人之畏惧。当我躺于你的身侧，也会为你的爱情所缚。天色将晚，日已西斜，就让我们轻松一夜，明日再做打算吧。现在，让我们再次踏上这朝圣之路，让我们吃下这神圣的饭食，照料相伴我们的马儿，然后尽情赞叹这美丽的荒原，以及那茵茵的草地，毕竟又有多少人会注意这荒原之景呢。夜晚来临时，我们将会沉沉睡去，而在梦中，我们亦将参透这诸多的苦难。"

说完，他们拿出面包掰开，尽数抛入了海中。照料马儿之后，他们又手牵手走向海山之间的绿茵草坪，这算得上是他们度过的最轻松惬意的夏日傍晚了。那里的鹿群不管兽龄多大，一点都不怕生，它们甚至会好奇地围到乌苏拉身边。画眉鸟喜欢停在她的肩膀上高歌，野兔们则爱在二人的脚边快乐嬉戏。拉尔夫二人仿佛踏入了伊甸园一般，他们忘却了回程路上那绵延无际的荒漠与群山，他们亦忘却了回归故土时，那将会来自敌手和同宗的阻拦。他们纵享此时此刻的幸福和爱意，直到当日的最后一刻。当天色完全暗了下来，他们才在边角的草丘旁躺下，伴着水井的汩汩声，在这世界尽头之处，渐渐地进入梦乡。

【第四卷】

重返家园

Chapter 01

重返东境山脉

次日清晨，他们全副武装，跳上马背，离开了这个景色优美、令人心旷神怡之地。因着井水的缘故，二人毫不费力地就翻过了高山，待他们补充完足够的肉食和水后，又开始穿越那干涸荒漠。他们在沙漠中没有再遇到任何意外，安全无虞地回到了女巫之居。沙漠似乎变得不再那般广袤，而林中道路相较于干涸的沙漠，也显得格外舒适。

回到女巫之居，他们再一次见到了良善边民，而在那些良善边民的眼中，他们看到自己喝了井水之后已经今非昔比。老者对他们说："亲爱的朋友，不用问，也知道你们已完成了自己的征途；在此之前你们二人就仪表非凡，但如今，你们已变成主宰万物的人神。现在，我不得不祈祷一件事，那就是希望你们不要高高在上，而是要仁慈地对待对你们顶礼膜拜的人们，与他们同在。"

他们因老人的善意开怀大笑，并亲吻拥抱了他，感谢他的帮助，和他们度过了愉快的一天。接着，老者和他儿子跟他们的亲人一一告别，带着拉尔夫和乌苏拉，再一次穿过森林和沙漠，回到良善边民的城镇。那里的人们欢欣雀跃地出来迎接他们，并希望他们可以整个冬天都留在那里。但他们的内心深处挂念着自己的土地和亲人们，于是婉言谢绝了他们的好意，决意离开。于是，他们在那里仅仅逗留了两天。第三天，十个男人按照当地的风俗，喜气洋洋地穿戴起来，并带了许多的驮兽和充足的供给，带领着他们出发了。有他们同行，拉尔夫和乌苏拉轻轻松松地回到栗子谷，在那里他们仅住了一晚，尽管对于他们两个来说，这个山谷如此的亲切，到处都是两人旅居在此的甜蜜回忆。

他们就要在这谷地中和良善边民们告别了，不过边民们坚持要再送他们一段路程，直至通往战人山石的路口。边民们确实不能再往前走，也不敢，他们称这些高大的山脉为“纷争之墙”，正如另一边的居民称之为“世界之壁”。

这对眷侣和山谷里的朋友就此别过，尽管已经喝下圣井之水，他们还是暗自神伤了好一阵。善良的边民们为他们的归途留了充足的食物，还拉来一头牛驮着，二人的供给便无须烦忧。另外，虽然秋天来了，冬天近在眼前，但风和日丽，他们俩和其余人一样轻松自如地通过了这段可怕的山路。

Chapter 02

尤特堡惊变

这是一个深秋的晴朗傍晚，拉尔夫二人走出群山，终于抵达了战人山石。想到往昔踏入群山时的那种孤独和恐惧，他们不禁亲吻、安慰起对方。而事实上呢，他们先前的经历之于此刻，早已如同书中的故事一样悲伤而遥远了。

此刻二人怀着雀跃的心情，来到了群山和熔岩河中间的绿色平原。他们向西望去，发现不远处有一间被灌木簇拥着的小木屋，屋里还有一席床铺。随着二人越走越近，他们看到有人正朝他们走来，那人头发花白，蓄着很长的胡须。拉尔夫兴奋地大叫起来，他随即快马加鞭，疾驰过草地，朝那人飞奔而去，因为拉尔夫知道那定是云梦乡隐士啊。乌苏拉看到拉尔夫这么高兴，也不禁加快了速度，同样朝那人飞奔而去。而那边，老人在听到呼唤后，就已停下脚步，静静立于原地等候。终于，拉尔夫来到了智者跟前，他开心地跳下马，上前亲吻并拥抱了这位长者。此时，只听智者说道："看来不必再问你们是否找到了水井，看你们眼神明亮，精神焕发，想来早已饮下了井水。相较于我，这井水的用处对你们来说要大得多。毕竟自我喝下井水后，这一切都没多大变化。"

这时，乌苏拉走上前来，她微微弯腰，向老人行了一礼。智者说道："你好啊，我的好姑娘！很开心再次见到你，得知你俩缔结鸳盟，我真是太高兴了。我知晓拉尔夫仍惦念着他的故乡，那儿还有诸事尚待他去处理。如此，我将伴你们一程，我要返回云梦乡，不管我的余生还有多少时日，我都将在那儿安享我的晚年。"

拉尔夫说道："为什么不去到比云梦乡更远的地方呢，比方说爱普觅斯？在那里，你也将受到同样的爱戴与尊重。"

长者笑得脸都红了，不过倒是没说什么。

他们卸下马儿的负重，从包袱里拿出酒和肉之后，便坐在草地上大快朵颐起来。三人言笑晏晏，拉尔夫二人跟智者讲述了他们之后的旅程。智者后来告诉他们，自立春开始，他就一直在此等候，就是以防二人铩羽而归，又或者，如果他们中途有人放弃，使得整个计划落空，至少他在这里，这样也能多个人及时宽慰他们。"不过，"老人说道，"虽然你们已然喝到了世界尽头的井水，但却回来得比我预想中要早。"

那晚他们在木屋里歇息了一夜。第二天一大早，智者便赶来了在草地上吃草的三四头山羊。于是，他们一行出发上路，穿过那平原，赶在天黑之前到达了熔岩海。他们在那里的第一晚，夜色沉沉，月光昏暗，以致远处的地火火星稀微，难以找寻。次日清晨，拉尔夫二人不禁问起智者原因，老人回道："据听闻，大约自去年年底起，地火就已经熄灭了。不过事实上呢，是巨人之烛的预言成真了，尤特堡换了新的主人。"

"是吗，"拉尔夫应道，"这是好事还是坏事？"

智者说道："再糟又能糟到哪去呢？倘若传闻非虚，如今的尤特堡正在渐入佳境。我跟你们说说，我是如何得知这个消息的吧。三月末，我从这里出发的几天前，有一天我坐在屋门前，发现树林里有铁片之类的东西在闪闪发光，没过一会儿，就有差不多二十来个全副武装的骑士骑马而出。最前头的那位骑着一匹红鬃马，外袍上绣着一头公牛在绿色田地上的徽章。那人头发乌黑，有着一双蓝色眼睛，虽然其体形不高，但胜在肌肉紧实，身体强健，整个人看上去刚猛果敢、英勇无畏。他头戴金冠，身着钢甲，也不知来自何方。于是，我不禁寻思起来，到底是谁这般张狂无忌，居然敢踏入尤特堡城主的领地。渐渐地，他骑至我的身前，他之前有瞧见我的羊群，因此恳请我让他喝些羊奶。于是，我起身给他挤了羊奶，又因那时节有羊奶的山羊数量有限，所以我只得分给了随行之人一些乳清。随后，那领头之人又跟我聊了聊这片森林，还问了我为何这般避开尘世，离群索居。虽然他的言辞有时稍显粗莽，但举止中也是亲切多于尖锐。最后他感谢我的善意，并说道：'虽然我不能为此予你钱财，但我倒是可以给你件东西，说不定以后还能派上用场。喂，热尔韦斯！给我一张纸！'说完，一名侍从从队伍中走出，递了一张羊皮纸给他，于是他又转手给了我。我一看，好家伙，居然是尤特堡的通关文牒，但是上面印着的并非是墙上黑熊的徽章，而是画着白牛的图案，而那署名也着实陌生得很。我不禁拿着这羊皮纸，苦苦思索起来。那骑士开口道：‘好吧，你再仔细瞧瞧。你信我也罢，不信也罢，这公文如假包换。而我呢，已经攻下了尤特堡，成了那里的新城主。我强悍无比，那旧城主怎是我的敌手，我早已把他处死了。虽然我是个粗人，但我统治的辖区内无灾无祸，整个城市欣欣向荣。你为什么不来尤特堡看看，亲眼见证一下这座城市的变化呢？若你来了，你将会满足口腹之欲，人人热情待你，使你感到宾至如归。’说完，他们一行又在我的居处歇息了一会儿，然后便又开始上路了。最终，我还是没有去成尤特堡，只是有两三个乡民迷路至此，他们告诉我那新任城主果真所言非虚，那里确实发生了翻天覆地的变化，居民们个个无忧无虑，亲如一家，整个城市看上去和和睦睦，竟比我想象中的还要快乐。”

拉尔夫听得入神了，他确信新一任的城主定是他曾经的战俘牛蓬头，不过他并没有作声。这时，乌苏拉开口道：“其实，我对此并不感到惊讶。我很确信，即便是我在尤特堡时，那个暴君要是被人杀了，也没有一个人会为他报仇的。不知为何，所有人都惧怕着他，而且要是他死了，也再没什么人能够站出来主持大局。”

随后，她又说了些自己过去在尤特堡受过的苦难，很多都是拉尔夫未曾听闻的事情，就好像这恶的终结，终于能让她用平常心把这一切和盘托出一样。她说完后，他们三人又讨论了些别的事情。

Chapter 03

再访塔城谷

一路平安无事，他们轻轻松松回到了智者的居所。此时深秋已至，他们已无望穿过金阁城西部的山脉，更不用说集坪山城以西了。等到冬天一到，拉尔夫和乌苏拉便决定和智者一起过冬，计划着等到第二年春天，山上积雪消融后再出发。

于是，二人高高兴兴地住在了那里，帮着老人干农活。而这位贤明的长者呢，也是尽力让他们过得开心，给他们念诵那部古书中的话语，凡是理应记在心上的都尽量让他们熟知，他还给拉尔夫二人讲了过去的传说。

之后，到了五月，他们再一次出发。智者熟悉林中地形，仅用四天的时间就带他们来到了塔城谷。他们望向塔下平整的草地：草地在帐篷和货摊的点缀下显得格外明媚，还有许多人穿梭其中；而那些篷布搭建的屋顶周围，裸露的木质房顶结构随处可见。正在他们疑惑着接下来会发生什么时，只见十个全副武装的男人走上前来，客气地请他们去见他们的首领。智者拿出了他的通关文牒，不过骑兵的首领摇头说道："先父，你没有问题，但是这两位骑士必须证明自己的身份。我的主人决心整治这片土地上所有的流动人口，并逐渐缩小搜索范围。但如果他们是你的朋友，那就并无大碍。你可以和他们一起前往，确保平安无事。"

这里必须说明一下，他们再次上路后，乌苏拉又穿上她的战袍，在所有人的眼里，骑在马背上的她，不过是个年轻单薄的骑士。

接下来他们跟着这些武装的士兵前行，并注意到塔上的旗帜已经换成蛮牛族的旗帜。士兵们把他们带到山谷中间，此处有若干帐篷和未完工的房子（他们看到了六座），附近还有一个集市，集市里人头攒动；士兵们带他们穿过人群，沿着摊位所在的小路直抵河边。这时，就在前方一个绿色的小山丘上，他们看到一人被簇拥在几十个士兵和几个将领中间，那人便是尤特堡的新城主。

所有人都分立两侧，新城主站在拉尔夫面前，当他看到拉尔夫，吃惊地大叫了一声；接着立即站起身来，开怀大笑，大声说道："欢迎，国王的儿子，看看我！我是尤特堡的城主，名叫牛蓬头，在谷中的山坡上，你我曾一决高低，你的力量在我之上。"

接着他拉住拉尔夫的手，拉着他在自己身边坐下。

"你们看我，现在是不是很威武？"他问道。"是的，"拉尔夫回答，"真为你高兴！"新城主说道："也许你会觉得我曾是你的手下败将，因而不会放过你。但是告诉你，我不会这样做，我现在忙得很。还有，不是我从你身边逃走的，是你从我这儿逃走的，小伙子。”

这时，拉尔夫大笑，停下来后他说道：“万军的统帅何需一个流浪骑士的宽恕？”

接着牛蓬头交叉双臂抱在胸前，说：“我很高兴见到你，你是个友善的小伙、仁慈的主人，但是过去你似乎并不开心。现在呢，我看到你脸上洋溢着幸福，眼睛里也闪着光芒。很好。这两人是你的随从吗？我看到过这位老者，他住在原野中，才智过人，不与凡人为伍。不过，这个年轻人，他是谁？莫非——没错，她是个年轻女子。没错，我认出来这是我的哥哥牛鼻子的奴隶。此遗产归我所有，她是我的了。”

拉尔夫听到这些话，脸上笑容顿失，勃然大怒，下一刻手已握在剑上。他正要拔剑，牛蓬头赶忙握住他的手腕，说道：“大人，大人，你真是个糟糕的辩护人，你不会说‘你是我的奴隶，奴隶继承什么财产？’你不明白，我没有获得自由就不能拥有她，你难道不能为了让她获释，给我自由吗？现在一切问题都公平解决了，现如今我重获自由，身为城主。这姑娘也自由了——没错，她不正是你挚爱的佳人吗，王子？”

拉尔夫有点尴尬，说道：“请你原谅，城主，我误会你了。不过请你试想一下，我们一对恋人，身处异国他乡是多么的渺小。”

“没什么，没什么，”牛蓬头说道，“我的的确确把你当作我的朋友，把这姑娘当作我哥哥的朋友。坐下吧，姑娘，请坐。

还有您，贤明的老者，也快坐下吧。我们来喝一杯，然后再讨论能为彼此做点什么。”

于是他们在草地上席地而坐，尤特堡城主叫来酒，他们就在这欢乐的五月里一并畅饮。接着新城主说：“我们在此结为朋友，遗憾的是，很快又得分道扬镳。不过王子，你必须要统治这里，在我眼里，你还是比我威武，噢，我的主人。从你的眼中，从你的举止姿态，还有你，姑娘，我能看出，你们已经饮过圣井的水了。因此，我诚心诚意地邀请你们到尤特堡来。”

拉尔夫摇摇头说道：“城主，非常感谢你的邀请和善意，恕我们不能前往。”

“但是我要提醒你，”牛蓬头说道，“那里的情形与以往已大不相同，如今它是人们安居乐业之所。我们推倒了赤碑、白碑和乌碑；那里再也没有折磨、恐惧、欺诈和谋杀，变成了一个连奴隶都幸福和言论自由的地方。现在你们都来吧，如果夜色不叫人疲倦，不出八日我们就会抵达那里。是的，拉尔夫大人，在那里你不会再见到你的老相识，我杀了那个暴君，事实上是他先杀死了我的哥哥，他罪有应得。为了弥补他的遗孀，我娶了她；你知道她是个美丽的女人，人人，她性情善良，并无恶意，如今她看起来过得很幸福。尽管我听说在暴君统治之下，她难过的时候对侍女们非常严厉。啊，英武的骑士，她不是也在这同一山谷中，曾对你眉目传情？”

拉尔夫脸色通红，没有作答。牛蓬头接着大笑道：“是的，是这样的；她自己告诉我的，之后我从他的女仆阿加莎那里听到了更多，她告诉我她们怎样布下陷阱抓你，你又如何逃脱。

事实上，尽管她没说，我觉得阿加莎和她的夫人一样想得到你。好了，小伙子，爱上所有的女人都会爱的男人，是她们的幸运。现在，我恳求你跟我回尤特堡，你的幸运会让你平安无事。”

拉尔夫回答：“我们非常感谢你的好意。但是，刚才你也说过，现在你有许多事要处理；我也有一块土地等待着我打理。我从父母身边溜走，而如今，他们需要我对抗敌军，共度苦难的岁月；现在只要我立刻赶回去，就能拯救他们于危难之中，还能帮助故土上那些坚强无畏、心地善良的人们。”

听到这番话，新城主的脸不禁灰暗下来，他说：“如果你已归心似箭，我也不好多说。对于我来讲，我所做的一切也都是为了亲人，之后的事不过是顺势而为。就让一切顺其自然吧！既然我们很快就得分别，我请你至少今晚停留在此，我们将在红亭中大摆宴席，盛情款待你们。虽然你们事务繁忙，但还请不要拒绝；明日我会送你二十个士兵，跟你一起前往金阁城。金阁城和集坪山城，就要靠你们自己了。过了集坪山城和平原地带，到了那边的山脉，那里的人们知道你的名字和相貌，不会伤害和妨碍你，只会资助你的。另外，宴席上你会遇到你的朋友奥獭，我们会告诉你我是如何来到尤特堡，这些日子发生了哪些改变，改变又是如何发生的。他现在是我的得力助手，职位和之前相同。事实上，杀了那个暴君后，我想让他来做城主，但是他拒绝了，我只得走马上任，不然让一个和老暴君同样昏聩的人来统治，怕是会给我自己招来杀身之祸。说到这里，你不要离开，接替我来统治尤特堡如何，就像你在金阁城时一样？”

拉尔夫听罢，不禁大笑了起来，于是他不再不顾情面，欣然接受了牛蓬头的邀请。之后他们又谈了很多。除此之外，拉尔夫注意到，虽然牛蓬头言谈粗犷，嬉笑怒骂真实无妄，但他衣装得体，头发、胡须均是经过精心修剪，如今的外貌举止也变得高贵，颇具绅士风度。

Chapter 04

红亭晚宴

又聊了一会儿，之后拉尔夫三人随着牛蓬头来到了塔下，乌苏拉在那买了件漂亮的衣裳。天色慢慢暗了下来，他们一行人终于抵达了尤特堡红亭，这亭子还是很久以前的城主所建。而今晚，一场宴会将在这里举行。整个亭子雕栏玉砌，华美非常。毕竟，宝石和美人乃是旧城主最为欢喜之物，为得到这两种心头之好，旧城主可谓强取豪夺，无恶不作。而如今，这红亭还如当年之姿，唯一变化的是，其徽章已从墙上黑熊变更为了白牛。

当下，拉尔夫三人被尊为贵客，均被请入上席。拉尔夫坐在新任城主的右手边，乌苏拉坐在牛蓬头的左手边，至于云梦乡隐士，则坐在少女的左边。一开始，拉尔夫的右手边是空着的，直到后来卫队长奥獭步履匆匆，走至他身边坐了下来。这位卫队长像是刚刚卸掉铠甲的样子，因为他此时赴宴的衣服污迹斑斑，褴褛不堪，正是此地战衣下惯穿的服饰。再看其他骑士和领主们的服饰，则个个刺绣精致，均用上好的丝绸布料缝制，其上还不乏宝石点缀。

奥獭看到拉尔夫的时候高兴坏了，他上前拥抱亲吻了王子，并说道："小伙子，看你的表情我就知道，这一路必定有惊无险，你们一定已经找到了圣井。如今，恐怕只有诸神才知晓该如何嘉奖你的英勇无畏。"

拉尔夫为他的快乐所感染，不禁笑了起来，笑了一会儿，他又严肃地说道："至于嘉奖，我万不敢奢求，只希望能对家乡的父老乡亲有所裨益。"刚说完这些话，拉尔夫不免想到第一次在尼德屯的教堂门口遇见的那位高大男子。是的，那个男人当时意志消沉，还有走绳索的罗杰，只愿他们如今一切都好。毕竟在拉尔夫看来，这两个人都用着自己的方式，忠诚于他们各自痛失的爱人。

之后，奥獭又聊了聊尤特堡这些天的变化，他还说到了城主最近想要在塔谷内建造一处集市，并且要把塔谷一边的原野开荒利用起来。"况且，"卫队长说道，"城主说了，他要尽可能活到集市建成的那天。他要一直保持活力，这样到那时，他可能依旧身体强健，孔武有力，如此日复一日，他终将受到万民拥戴。"

接着他们又聊了许多其他的事情，如吟游诗人、各种奇闻异事等，直到最后城主起身说道："现在，为了这盛宴，让我们把牛尊请进来吧，诸位皆可对它许下诚挚的诺言。"听到这儿，拉尔夫不禁疑惑，这城主口中提及的牛尊到底是何物。但是现今已容不得他多想，厅中已响起了竖琴和小提琴声，伴着那激昂欢快的乐声，大厅中走进了四名身着华服的仆从，这四人齐力抬着一顶华盖，华盖下走着一位装备齐全的武士，他铠甲锃亮，手托一尊造型似牛的金色大酒杯，这人缓步走上台阶，把酒杯递给城主。此刻，厅中瞬时静了下来，整场鸦雀无声，再无任何欢声笑语。然后，牛蓬头举起酒杯，大声说道：

“来吧，我的朋友们！我对着这牛尊起誓，三年内，我将扫平尤特堡内的所有贼寇和暴徒，不管他们势力强大或是单薄，我都将一追到底，还这连绵群山和金阁城一个清静。到那时，玫瑰花海将漫山遍野，美艳不可方物。倘若我的许诺以失败告终，那我宁愿在焚心的痛苦中死去。”

说罢，牛蓬头仰头将杯中酒水一饮而尽，所有人都欢呼起来。接着，他坐回王位，把酒杯递向奥獭。卫队长接过酒杯，往杯中看去，只看到水光荡漾，他不禁大笑着说道：“对我来说，我想许下的誓言则是，我将誓死追随我的主人。我将走过一切风风雨雨，我将历经和平与动荡的年代，我将体味这人世间的几多快乐和痛苦。这便是我不悔的誓言。”

说罢，他一口气饮下，便也坐了下来。

到这里，城主转身对拉尔夫说道：“朋友，你现在是我的贵客，你难道不想向你的友人和这世上诸神倾诉你的愿望吗？”

“那愿望算不得什么，”拉尔夫说道，“若是你坚持的话，那我就说说我的愿望吧。”

“我们定当洗耳恭听。”城主应道。

于是拉尔夫起身接过牛尊，他高举酒杯说道：“我发誓，我将回到我的子民身边，路上我将竭尽我所能，去帮扶那些需要帮助的人们。在此望诸神助我！”

说完，他仰头一饮而尽，牛蓬头说道：“哦，说得很好，好心的朋友！如今，所有人皆饮下了这杯中之物，现在请你们三位以及奥獭随我前来，我们将在塔室内用餐。姑且让我聊表心意，尽上地主之谊吧。”

于是他们四人皆随城主离开，当他们在金碧辉煌的塔室内就座后，一盘盘美酒佳肴便开始陆续上桌。此刻，新任城主对拉尔夫说道：“如今，我的朋友，你还有什么想问我的吗？”“有的，”拉尔夫应道，“我想知道你是如何登位的。”牛蓬头回道：“这事得奥獭帮我说完，哎，这可就说来话长了。”

Chapter 05

弑君夺位的故事

“你从我身边逃走，留我一个人在金阁城，我甚是悲伤；接着商人克莱门特提议让我跟他回他的家乡，他告诉我他的家乡紧挨着你的故乡。但是我不能跟他走，因为我要找到杀害我兄长的凶手，为他报仇雪恨。于是，商队离开了金阁城，因为你的缘故，他对我很是慷慨。他们走了之后，我想我能干点什么，你知道，我会唱唱歌弹弹琴，于是我利用这项技能，挣点生活费，暗自打探消息，直到我稍有名气，经常有人让我去表演，付我酬劳，也就是酒肉钱财。这样下来，我也有了足够的钱离开金阁城，前往尤特堡；我一开始就怀疑凶手是那儿的城主。

“一日我去市场上，发现那里一片骚乱：男男女女都在奔走尖叫，一些人去拿弓，一些人去拿其他的武器。我抓住其中一个人，问他出了什么事。他大叫：‘放开我，它跑出来了，它跑出来了！’

“‘什么跑出来了，蠢货？’我问。‘狮子！’他整个人看上去战战兢兢的，说完就挣脱我跑走了。这时我看到其他人都离我有了些距离，只剩下我一人在那里。于是我又往前走了一段路，看看四周，非常确信在集市回廊的柱子下，卧着一头巨大的黄色狮子，只见那头雄狮正趴在一只扑倒的羊上，可是在人群的尖叫和骚乱中，它也没去享受它的美食。

“你不知道，事实上，我有本事让野兽爱上我，听我的话。如果我醒着躺下来，老鼠会出来，从我的身上跑过去；小鸟不害怕我，会落在我的肩上；松鼠、野兔会在我身边玩耍，把我当棵树；凶猛的野兽在我面前也会很温顺。因此，我不害怕这头狮子，更何况，我还想试试能否把它驯服，这样它不仅能让我卖艺为生，还可以保护我。

“于是我悄悄接近它，直到它发现了我，直起身子开始咆哮。但我接着往前走，用平和的口气对它说：‘怎么了，金色的雄狮，什么让你不爽快？低下头，吃羊吧。’于是它又坐在了猎物前，但是还在低声咆哮，我走得更近了，对它说：‘吃吧，我不是在这儿吗？一切都平安无事。’我摊开手掌到它身前，它闻了闻，一下就平静了，开始把羊撕开，狼吞虎咽起来，而我就站在一旁和善地和它说话。

“但是这时我看到广场的另一侧有武器在闪光，很多士兵正在拉弓搭箭。金色的狮王也看到了他们，又站起来咆哮；于是，我只得再次努力安抚它道：‘没事的。’

“接着那些人对我大声喊让我离开，他们要射箭了。我大声喊道：‘别射！告诉我，这个狮子有主人吗？’‘是的，’

有人应答，‘它是我的，很高兴我不是他的。’我说：‘狮子卖吗？’‘卖，’他说，‘要是你还能活着谈价格，我就卖给你。’我说：‘我是一个驯兽师，如果你出个价，我会制服它。’那个人同意了，但和其他的人远远站在一边，拿着武器观看。

“于是我转向新买的奴隶，叫它跟我走，它像只狗一样听话，进到附近的笼子里；接着我把它锁了起来，把钱给了它的主人。人们靠拢过来，脸上写满了惊奇，赞叹连连。不过我说道：‘先生们，我驯服猛兽，救了这些人，难道没有赏赐吗？’他们大笑，给我递来钱财和其他东西，直到那些赏赐比买狮子的钱还要多。

“然而第二天，宫廷里的官员们来了。他们给了我更多的钱，让我尽快离开金阁城。我正求之不得，于是我骑着我的小马，用链子拉着狮子离开了，要知道我在它近旁时，很少是需要用到链子的。

“于是我立刻启程直奔尤特堡，一路所向披靡，没有人袭击我，也没人袭击狮子。尽管他们想群起而攻之用长矛杀死它——但是他们很怕狮子，也更害怕我，觉得我可能是他们的天神派来的。

“这样我来到了尤特堡，发现这里贫穷凋敝（的确这儿曾经衰败过，可不应该衰败了这么长时间）。但尤特堡的宫殿却极尽奢华（你可能也从别人那里听说过，我的主人），有花园、果园、耕地和整洁的草坪。是的，那里的一切美如天堂。可是据我的观察，住在那儿的人们却把那里当作地狱。

“长话短说，有关我的还有狮子的故事在我到来之前就传开了，所以当我到了宫殿，他们盛情款待了我。更重要的是，城主出远门一段时间，人们比他在的时候生活得轻松了太多。但是城主夫人还住在那里。第二天，她就派人让我过去，我带着狮子来到她的窗前，让它走来走去，在我的指挥下叼取东西，表演完了以后，她让我进入她的闺房，让我坐下，并给我上酒，问了一些问题，诸如我的家乡和朋友，从哪里来，到哪里去之类的。我尽量真实地答复她，和她一起的还有一个女人，甚至也是你的朋友阿加莎，先生。

“我觉得城主夫人是个美丽的女人，她用善意的眼神看着我，最后她叹气说道，如果那些达官贵族要是像我这般，她就轻松自在了。然而，她说，城主脾气暴躁，残酷无情，是一个十足的混蛋。说到这里，阿加莎转过头来，斥责她，就像是斥责一个小孩，说道：‘不要在陌生人面前吐露心声！你为了逞一时口头之快，又要让我在白碑前流血吗？走吧，你这山野村夫！’

“她拉着我的手出门，门关了之后，她转向我，说道：‘你，如果我在外边听到夫人刚才说的那些话，那肯定就是你说的，虽然我不过是个奴隶，一个被冤枉的奴隶，我也能让你死无葬身之地！’

“我大笑了一番，便转身离开了。之后我见了很多人，给他们看了我的狮子，并很快发现了两件事。

“第一件事是，城主和夫人已经完全形同陌路。事情的起因是一次城主在回城之前，发现他的房里少了个人——直说吧，某个他抓来的漂亮女人，他垂涎于她的美色，结果美人逃跑了。他把这事怪罪在夫人头上，拿死来威胁夫人。当他发现自己不敢杀她，也不敢折磨她时（他就是个孬种），他编造了一个故事，让你的朋友阿加莎替她受责罚。

“听到这个故事，我对自己说，我该听听另一个故事，我的大哥被杀死这事情究竟怎么发生的。我遇到一个人，他告诉我城主是什么时候，以及怎么遇到那个姑娘（我立刻知道就是你，女士），又是怎样为了得到她，杀死了我的大哥，无疑你是知道的，拉尔夫大人。

“我所知道的第二件事就是，尤特堡所有的人，无论男女，都惧怕这个马上要回来的暴君，但是却没人觉得杀了他会是件好事。虽然他一向是个混蛋，一贯如此，但是恐惧压倒一切，疑虑阻止了奴隶的暴动，因此那时他还是平安无事。人们惧怕他，仿佛他是一个恶魔，而不是一个人。事实上，有个把我当朋友看待的人知道恶魔快要回来了，警告我说：‘狮子的主人，我的朋友，小心点！我害怕城主回来发现你在这里，他会毒死你的狮子，然后残忍地杀死你。’

“三天后，领主和他的长矛卫队回来了，跟他们一起回来的，还有几十个俘虏。第二天，他就听说了我，派人让我前去表演。因此，在一个明亮的早晨，我在他的窗前做狮子表演，就像在夫人窗前一样。表演了一会儿，他看看窗外，对我喊道：‘能不能让你的狮子睡会儿觉，你离开一会儿？我会很高兴，如果你肯上前来。’

“我说可以，然后唱歌让它躺下，它像疲惫的猎狗一样睡熟了。接着我来到城主的房间，以防万一，我的手里一直有一把出鞘的短剑，很蹊跷，没有人注意到这个，我就这样来到暴君面前，他坐在那里，身旁除了奥獭和另一名全副武装的士兵，再没有其他人。看到他，因为身体里面流淌着与兄长一样的血，我一时被激了起来。我走到椅子前，就在他的正前方，双手挥起短剑，一剑劈开了他的头骨，就像他对我兄长做的一样。

“我转过身对着奥獭（他手里已握住宝剑，但是太迟了），直到他回过神来。嘿，奥獭，你觉得怎么样？”

奥獭大笑，答道：“我说，这样就结果了世界上最坏的人。干得好，驯狮人！你不是个差劲的客人，手起刀落间就还清了膳食住宿。但现在该怎么做？然后你对我说：‘嗯，我想你会杀死我。’‘不，’我的原话是，‘我们不会杀你，至少不会因此杀你，也不是现在，也没有任何理由。’你又说：‘可能的话让我就此离开，毕竟这暴君人人得而诛之，再说了，他还欠我一条人命。’‘不，不，’我对你说，‘不要这么快就走，狮子的主人。’‘为什么？’你说，‘我能看出你是个英勇无畏的人、人中将帅，武装的士兵们很容易就听从你的命令，为什么你不取代这个人，成为尤特堡的城主？’

“‘不不，’我说，‘不可能。你给我听着，现在我给你两个选择，要么做尤特堡的城主，要么我们现在就在这里杀死你。我们两个都全副武装。’

“你看起来想了一会儿，最后说：‘好吧，虽说我此行目的并非如此，然而发生这样的怪事，我也不再拒绝。但我要警告你们，我会让尤特堡天翻地覆。’

“‘这里也不会更糟糕了，’我说，‘现在把狮子叫醒，关到洞里去吧。这个尸首就作为给吟游诗人的奖赏给它了。’‘多谢你赏的肉，’你说，‘我不赞成今天吃这块肉。有人警告过我，这个男人回来，这个可怜的野兽就会被毒死，要是它吃了这个混蛋，也许真会这样，它活不过这顿饭的。’这时我们都开怀大笑。”

“没错，”牛蓬头说道，“于是我就带着狮子离开了，你让我一个小时后回来，到时加冕大礼就会准备完毕。果然你言必行，行必果，当我回来，大厅里聚集了所有武装的士兵、自由的农夫和奴隶。士兵们把我放在一块盾牌上举了起来，给我加冕，给我手里塞了一把重剑，称呼我尤特堡之王、荒原野林之主。接着，你，奥獭，直接跪在我面前，奉我为王，把剑的束带放在我的手里。甚至于，当我去到城主夫人那里，告知她所有事情的经过，还没出三分钟，她就已经躺于我的怀中，三天后，她便与我同榻而眠，嫁于我为妻。至于阿加莎，我对她嘲笑一番后，给了她贵重的礼物和土地，并让她重获自由，算是对她吃过的苦进行补偿。就到这里，国王的儿子和这位可爱的女士，这就是我的故事。”

“是的，”奥獭说，“不用说，现在你已将尤特堡从地狱拯救回人间，甚至你还想让它更上一层楼。”

牛蓬头听罢，不禁脸红着应道：“嘘，赞美的话晚上再说吧。”接着他转过身，面对拉尔夫，说道：“你回家路上给我好好宣传一下，我很乐意外面有个为我说话的朋友。”“我们不胜荣幸。”拉尔夫说。乌苏拉也表示愿意。

他们又愉快地聊了一会儿，直到深夜才纷纷心满意足地回房休息了。

Chapter 06

又见红头发

第二天他们起身时，拉尔夫远远便听到了嘶鸣的马声和武器铮铮作响的声音。他当即走向窗户边，探头往外望去，发现塔下站满了不少手持长矛的士兵，于是他立马反应过来，知道这些人都是自己的同伴。拉尔夫远远看见那队长通身铁甲，头戴轻盔，而那盔下的脸庞，王子却是再熟悉不过，那队长便是红头发。在这儿能看到他，拉尔夫不禁喜出望外。他急急忙忙套好衣服，便冲出了房门。他径直奔向红头发处，热情地跟他打着招呼。红头发一看到他，便立刻跳下马，他上前双手拥抱了拉尔夫，兴高采烈地说道："大人，很高兴又见着你了。看到你一切平安，我为你感到由衷的高兴。虽然上次那事背后大有阴谋，然而我并不知情，既然你没有中计，我想也许你会原谅我的。"

拉尔夫说道："我特此宽恕于你，所以你无需担心。至于其他事情嘛，我本想问问你过得如何，但是现在看来已不必再问，毕竟如今你看上去是这么容光焕发、神采奕奕。”

他们正说着，只见新城主从堡塔里径直而出，对他们说道：“快过来，拉尔夫王子阁下，在你上路之前，先与我们用上一餐吧。就你、我以及奥獭三人。至于你，红头发先生，如若在你的护卫下，这位王子仍遭遇不测，那我将不会再兑现你关于阿加莎的任何诺言。如此，你很有可能会人财两失，只怕要与那位少女终生错过了。”

红头发闻言羞怯地望向拉尔夫，还朝他狡黠地眨了眨眼睛，就好像很开心自己被人拿求婚之事取笑似的。于是拉尔夫当即反应过来，恐怕那狡黠的少女其实对眼前这位高个子男人也是非常中意。待回过神来，他不禁朝红头发报以友善一笑，他微微点了点头，示意自己要先行离开一会儿，接着他便随牛蓬头回到了塔内。入塔之后，他们三人纷纷入座，一起用起餐来。用完餐后，牛蓬头对拉尔夫问道：“王子殿下，这会是我最后一次见你吗？你将不会再来山的这边了？”拉尔夫回道：“谁知道呢？我尚年幼，更何况还喝了圣井的井水。”说到这儿，牛蓬头不禁思索道：“哎，也许你下次回来时，我已经老死了。如若阁下看到了我的孤坟，并且你也愿意的话，那么就请来我坟前陪我说说话，又或者为我唱上一曲吧。我想说，是你造就了我啊，至于你是如何做到的，我也不甚清楚。”

“你的确是个好人，”拉尔夫应道，“我可不希望这样的事情发生。如若那时你已死去，我将不会再来尤特堡，免得兀自伤心。”牛蓬头对他感激一笑，说道：“这话可真贴心，我死前还真想再见见你。”

拉尔夫接道：“城主，你应该这样想啊，尤特堡到爱普觅斯的路程，可不比从爱普觅斯到这儿的距离远啊。”听完，城主不禁大笑起来，说道：“的确如此。如今，当着牛尊的面，我发誓我将在十年内去爱普觅斯探望你。”

拉尔夫伸出手，对牛蓬头说道：“对着这个起誓吧！”城主接过东西，郑重地允下了他的诺言。拉尔夫看到牛蓬头如此为他着想，心中很是高兴。过了一会儿，拉尔夫起身说道：“现在，我的好城主，请允许我们即刻动身离开。我们已耽搁太久，子民们还在等待我的援助。”于是，牛蓬头和奥獭皆站起身，各自招来了他们的骏马。随后，他们一群人便出发上路，骑马离开了塔城谷。一路上，红头发都骑马谦恭地跟在他们身后，直到中午，他们一行才就地停下，准备各自填饱肚子。他们坐在一起，纷纷掰开面包大吃起来，彼此也都用了点酒。吃完后，牛蓬头和奥獭亲吻了拉尔夫三人，并与一众人道别之后，又返回了塔城谷。而拉尔夫一行也没有多做耽搁，他们抖抖缰绳，又继续上路了。

没走一会儿，拉尔夫便喊来红头发，让他骑马离他们近些，这样也好方便大家说话。于是，红头发当即策马赶上，乌苏拉友善地招呼了他，整个队伍看上去其乐融融，非常和谐。随后，拉尔夫对红头发说道：“亲爱的队长朋友，你为何在城主和卫队长奥獭面前如此拘谨？你并不低人一等啊。”

红头发不好意思地笑着说道：“嗨，相比奥獭来说，我并不算差。至于新城主，那则是另外一码事了。我了解到，城主此处的同宗跟东边的一样，甚至东边的同宗要更为臣服城主一些。不管怎样，至少我从他口中得知，他仍有宗亲血脉存于世上，而我则孤苦伶仃，只是个流浪汉而已。然而，这也只是一方面罢了，除此之外，他俩不管要求别人去做什么，别人都会心悦诚服，照做不误。要是换成我，只会招来质疑，徒增烦恼罢了。而且大人你看，我过得还算不错，为什么非要不知满足？更何况事实上，这些领主都待我不薄。”

拉尔夫笑道：“所以你觉着，要是他们把阿加莎许配给你，对你就更好了，是不是？”“是的，亲爱的殿下。”红头发回道。“可我认为，这礼物比之你的英勇稍嫌不够啊，”拉尔夫可惜道，“她自由散漫，还狡黠非常，配你倒是高攀了。”

“大人，”红头发说道，“也就只有你能这么说她了，我可不会让别人在我面前说她的不是。这世间万物来来去去，只有她一人驻我心间。她真实而又勇敢，无人敢否认她的甜蜜和美丽，她足以配得上比我更好的男人。能够拥有她已是我极大的荣幸，我希望她也同样爱我，不要再去追逐那些更好的男人了。”

乌苏拉说道：“就算真是这样，那如今呢，她现在早已自由，且又无所畏惧，很显然，她已不必再用狡黠来伪装自己了。”“是的，夫人，多谢你的提醒。”红头发应道。说完，他就陷入了沉默，再想到拉尔夫刚才的那番话，便开始闷闷不乐起来。

于是拉尔夫解释道：“抱歉，我的朋友，我本无意冒犯。我只是在想，你们两个怎么会走得这么近呢？”

“正是过往的恐惧和苦难，以及那段互相扶持、共克难关的时光，让我们走近彼此。”红头发回道。然而乌苏拉不禁问道：

“我的好队长，阿加莎到底是如何从旧城主手中逃脱的？毕竟据我所知，这姑娘替她的女主人遭了罪，因为那暴君把我的逃离都归咎在她的身上。”

“正是如此啊，我的夫人，”红头发应道，“你差不多都知道了，如今，就连很多堡外人都已知晓她精于巫术，他们传言即使她命数已灭，她的咒语也将永不停歇。哦，不，应该说哪怕她已化作亡魂，那些生前折辱过她的人们也终会遭受被其诅咒的厄运。他们将个个早夭，生前饱受各般痛苦，草草离开这人世，有人甚至死状比之她的要更为凄惨。事实上呢，这个故事其实是我帮忙宣扬出去的，但是到后来，整件事开始传得神乎其神，沸沸扬扬，就连城主也都深信不疑。所以，让我们长话短说吧，正因为这起传闻，使得旧城主非常惧怕阿加莎，可是比起让她活着，他又更加害怕她死去。于是，当他回到城堡，发现夫人你已逃走时，他确实很大程度上认定是阿加莎所为。而另一个让他如此觉得的原因则是，他的侄子（就是你之前哄骗偷来铠甲的那位，其实我也好奇你究竟是如何得手的）对他编造了一个谎言，他在那故事里谎称是阿加莎施了法术助你离开。这个年轻人比起他的叔父，更是恶毒百倍，那时候他特别厌恶阿加莎，于是便决定要亲眼看她经受这世上最残酷的折磨。然而，这一切却恰恰适得其反，反倒是把阿加莎往成为女巫的道路上又推进了一步，这可是旧城主万万没想到的。”

“这样啊，”乌苏拉说道，“那个年轻人后来怎样了，队长先生？”红头发说道：“夫人，知道这件事的人可就不多了。旧城主被宣布斩首的两天前，我曾在尤特堡附近的森林里看见过这位年轻人。看到他时，我一时气不过，便抓了他，把他上上下下绑了起来，又在他脖子上绑了个大石头，把他扔进了山羊之殇的深水塘里。好了好了，让我们再说回阿加莎吧。当时，城主一回到家，就先是跑去找她质问，那时他已被怒火冲昏了头脑，全然忘记了自己往日的担忧和恐惧。那会儿的他，满脑子只想着要让她下到九层地狱，饱尝耶稣受难之苦。然而，阿加莎的表情却是如此的冷静和镇定，她对他冷冷地笑着，以致城主瞬间就回了神，他心底发虚，发现自己竟不敢把她怎样。于是，他不禁苦苦思索，她到底是如何做到让自己灵肉合一、人神不灭的。（天知道她是如何做到的！）最后，恐惧又慢慢袭上了他的心头，于是他试图与她讲和，甚至到了请求宽恕、予以补偿的地步。于是，阿加莎高兴地应下了。然而城主（以及其他一些旁观者，当时我也是其中一员）心里明白，其实阿加莎知晓自己欠他一个丰收之日。至于我呢，城主当时并无察觉，毕竟我一直尽可能地隐匿身形，使自己看上去至少不那么招人注意。就这样，那天终于战战兢兢地过去了，所有人似乎都松了口气。”

到这里，有关阿加莎的话题终于告一段落，众人纷纷祝愿红头发一生幸福平安。事实上，拉尔夫三人也都很乐于倾听，毕竟他讲故事的方式总是这么引人入胜。你还别说，红头发为人真是英勇坚毅，明亮乐观，他不仅知恩图报，还很重情重义。尽管他有时举止粗鲁，但却是个内心豁达、言辞和善的男人。

Chapter 07

荒漠之战

他们那晚风餐露宿，之后很多晚上都是这样。现在已经完全进入到荒漠之中。他们带了一个轻型的帐篷，让乌苏拉住在里面，其他人就睡在地上。遇到灌木丛或者杂草丛，他们就睡在其中松软的地方。饮食并无大碍，他们用驮兽带上了足够的供给，路上还打了一些野味。一路很少见到人，大部分路程只见到一个沙漠的狩猎者，抑或一个挖煤的人。他们站在那儿，看着这群武装的士兵经过，对尤特堡的徽印顶礼膜拜。

但有一次，在他们旅程的第五天早上，他们看到前方丛林处出现了许多杆长矛。红头发打量了一下自己手中的利器，禁不住发出一阵大笑，似乎很是高兴，他说道："我不清楚前面发生了什么事，看起来像是在打仗。骑士，你现在最好和三个最厉害的士兵守候在此，保护夫人，其他的人跟我去察看一番。

"不，"拉尔夫说道，"你也许需要帮手，如果那里有恶战，我会和你并肩作战。把你的三个人留给夫人，我们走，很快就回来。”

“别再让我一人留下，亲爱的大人，”乌苏拉答道，“我害怕和你分开，看到你才把我从恐惧中解救出来。我和你同去，就跟在你身后三匹马的距离，这样也不至于妨碍你。不让我去我会更害怕。”

“好，”拉尔夫答道，“让夫人和我们同行吧。为什么要让她孤零零地等在荒漠中担惊受怕？给她穿上锁子甲，戴上头盔，小心刀枪无眼。”

穿戴整齐后，他们纵马上前，看到这批士兵人数在他们之上，都骑着黑色的马匹，穿着黑色的盔甲。他们拉住缰绳停留了片刻，红头发又看了他们一遍，说道：“是的，这些是你那狂热的追求者的手下，乌苏拉夫人。我在山羊之殇曾教训过他们，但是一个和我的叔叔年纪相仿的人，差点把我吓得胆战心惊。他是个极好的人，一位出类拔萃的勇士，英明的领导，各个方面都不错的掠夺者。嗯，我们又得和他的人对话了，不管他们是要外出还是归来，现在我们要奋力杀敌。戴好你的头盔，大人；迈克尔·格林，亮出蛮牛旗；还有你，诺伊斯，吹响作战的号角，他们好知道我们来了。神灵助我！”

蛮牛之旗迎风飘展，号角也响了起来。黑衣士兵们骑马一路小跑，大喊一声，对后面的人挥了一下长矛，接着，骑着马以最快的速度冲过来，六个弓箭手从丛林中走出，搭弓上箭。尤特堡的士兵们也纵马上前迎敌，红头发一边将长矛刺向敌人，一边对拉尔夫说：“幸亏夫人跟了过来，现在我都崇拜她了。”

两组人马交锋，双方的盔甲都不甚坚固，两边的士兵都有被刺伤的；除了拉尔夫，他并不是一枪直接刺过去，而是将长矛上下翻飞，变幻莫测。拉尔夫刺中一个大高个，正中胸口，长矛刺穿身体，然后拽出剑挥向那人的左手和右手，再也没有人敢靠近他。

简言之，不到五分钟时间，黑衣骑手们便在尤特堡勇士们的追击下呈现出溃败之势，他们四散着逃窜而去，弓箭手又逃回了树林里。敌军溃败逃散之际，其中一个人朝乌苏拉身边的侍卫投了标枪，乌苏拉在马上晃了晃，险些掉下马来，幸亏旁边的士兵扶住了她，把她慢慢扶下马。这些拉尔夫都没看到，他乘胜追击了很远，之后才和红头发慢慢返回。红头发在战役中受了伤，所幸伤势不重。当拉尔夫回来，看到乌苏拉坐在草地上，四五个士兵在她周围，他吓得魂飞魄散；然而她脸色苍白地站了起来，慢慢走过来迎他，说道："不用害怕，亲爱的，兵来将挡，我没有受一点伤。"他上前吻了她，把她抱在怀里，心里感到非常高兴。

尤特堡勇士们杀了十六个敌军，一点都不曾手下留情，他们中也有四人被杀死，六人受伤，还好伤势都不重。于是他们在原野中停留了一段时间休整，包扎伤员，接着密切关注着周边情况，再次出发。

红头发说："我今日有幸能亲眼看见你的枪法，国王的儿子。我怀疑我永远都学不会你的干净利落。还记得上次我有多糟糕，就是在塔城谷我们相遇那次。"

"是的，"拉尔夫说道，"不过别想啦，至少今天，我看你的兵器已经用得娴熟多了。”

红头发回答：“大人，那没什么，不过区区五分钟。想要考验一个人，就是要让他直接与敌军作战，一次次去战斗和取得胜利，直到被无尽的黑夜笼罩——是的，甚至是迎来死亡。”

“你的谈吐像个勇士，又颇有见识，”拉尔夫说，“你跟着谁都会做得很好，不过我仍希望你能入我麾下。”

听到这些话，红头发摇摇头说：“我也希望，但是现在还不行。”

他们又往前走了一段，晚上就睡在树林中，密切地注意周围的情况。那晚黑衣骑手们没有再出现。

之后的一天傍晚，拉尔夫看到平坦的荒漠边上有一片树林，他让乌苏拉停下，说道：“亲爱的，你看看周围，我就是在这里被出卖到尤特堡的。”她对他嫣然一笑，说：“我要下马，我要亲一亲这片善良的土地，它不曾留你太久，不然我们怎么在之后深夜的树林里相见。”

“亲爱的，”拉尔夫说，“你不会为任何人悲伤，甚至只是一瞬间，这就是你！队长正在让驮兽停下来，他可能想今晚睡在那片树林里。”于是他跳下马，乌苏拉也下了马。他拉着她的手走了一段路，说道：“亲爱的，看到这棵花楸树没，我被人捉走的那晚，帐篷就是搭在这里的。”

她看着他，羞涩地说：“今晚你再睡在这里如何？”

“好的，亲爱的，”他说，“我让人把你的帐篷搭在这儿，而我呢，便可以和之前一样，伴着原野的香气入睡了。”

于是，在他曾经的伤心之地，他们在爱的氛围中满足地睡了。

Chapter 08

女王轶事

第二天，拉尔夫一行来到了金阁城境内，正是在这里，拉尔夫被莫芬害为囚徒。一路上，红头发始终小心翼翼地跟在他们身后，毕竟这路途弯弯绕绕，很多岔路，很容易就走散了。然而也许是坏人不敢纠缠他们，抑或其他什么原因，他们就这么一路平平安安地来到了金阁城城门前。一进城门，他们便远远看到塔下站满了无数的乡民，个个都直直地望向他们。看到此番景象，拉尔夫一行不禁亮出了自己的旗帜，他们骑马来到街中，因尤特堡新城主与金阁城交好的缘故，他们的到来顿时受到了乡亲们的热情欢迎。他们行至旅店，用了些饭后，便早早歇下了。入梦前，拉尔夫不禁想到，不知女王得知他回返后，会不会召见自己。不过，他倒是衷心希望她可以轻松放行，让他们尽快踏上回程，不要在此再做耽搁。毕竟一想到女王对他的爱恋之情，他就会备感尴尬。拉尔夫也是在临近金阁城时才忆起这茬，他差不多已将她忘得一干二净了。

终于，太阳慢慢升起，新的一天又开始了。拉尔夫询问了红头发，之后的归乡路上要怎么雇人。红头发回道："我已经见到了朝廷官员，他一小时内就会拿着通关文牒在这等你。拿到文牒之后，我们就可以用它雇人一同前往集坪山城了。至于我，则一定要去面见国王，把布尔城主的一封加密信呈交给他。之后，待我从王宫出来，我去酒馆里物色物色，那里经常有很多全副武装的旅人，在那总能找到你想要的随从的。至于国王那边，除非他召唤你，否则不必再去，毕竟你不是来这里讨价还价的，这国王也暂时不需那所谓的士卒。"

拉尔夫疑惑地看着他，说道："等等，你是说，国王？金阁城没有王后吗？"红头发回道："国王的确已有妻室，但是这里的子民不称其为王后，而是叫她夫人。""那之前的王后，"拉尔夫疑惑道，"她现在所处何处？""是的，"红头发应道，"不久以前，是女王陛下独自统治着这片大地，但后来，她不知是去世了，还是发生了什么事，这我就不清楚了，反正没再看见她的身影。其实，在我们的新城主攻下尤特堡之前，我几乎没来过这里。瞧，店主在那！你可以找他了解一下。"

说完，红头发便离开了，只留下了拉尔夫和旅店店主。于是，王子就此事询问了店主，此刻他心都提到了嗓子眼，毕竟他也不忍一个如此美丽和善的女士遭遇不测。

店主在拉尔夫身旁坐下，开口说道："我的大人，这是个悲伤的故事啊。尽管诸神不会喜欢我妄自谈论自己的陛下，但现在早已不打紧了，你既然向我问起，我就给你说说吧。其实，那时候有那么一位美如天仙又心地善良的女王领导我们，大家都还是很高兴的。只是，这位夫人后来离开了这里，生死未卜，大家也都不知道她的死活。差不多一年前的初春，有天乡民们睡醒后，竟然发现王宫里已空无一人。人们四处奔走，却依旧没有发现女王的踪影。随着时间的流逝，有关她如何离开，为何离开已经有了各种版本的传说，但是不管怎样，我们都知道她早已选择了抛弃我们。好吧，我的好先生，其实有很多人通过种种迹象认为，她尚存一丝生机，毕竟她是如此的美丽，想去哪里都无需坐骑或是马车，多的是人想要一路护送。反倒是那些与她素来亲近之人认为，她这定是为情所困，魂之所伤，应该已经了断生命了。毕竟，她离开前有很长一段时间里，都是眉头紧锁，难展笑颜，虽然她从不在人前落泪哭泣，也不向人倾吐她之悲伤，但又有谁看不出她的伤心呢。

“但是，亲爱的王子，鉴于你对这城市稍显不熟，即日又将离它而去，我就告诉你一件事情吧。你要知道，她莫名消失的一个月之后，我曾跟一位老渔民聊过天。那伙计告诉我，其实女王消失的那天晚上，当他站在海边拉锚链，准备把船拴好时，突然发现沿海远远走来一位步履匆匆的女子。他不禁仔细瞧了瞧她，发现她当时非常警惕，还不时环视四周看有没有人在跟踪自己。她渐渐走到他跟前，用优美的嗓音请求他送她出海。她穿着一身黑色外袍，头戴风帽，那女子伸出手来，给了那渔民几枚金币。他借着灯笼的光线，看清那金币币面崭新，她手上的宝石指环也闪烁着璀璨的光芒，除此之外，她的手臂上还带有夺人眼目的金色手镯。

“他最终同意了她的请求，一部分原因就是为了金子吧，另一个原因（至少他是这么告诉我的）是因为他很惧怕她，毕竟她通身看上去就不像个凡人。她跨过一侧甲板的舷梯，登上了船，那渔民一直提着灯笼，以便照亮那女子脚下的路，以免她一不小心踏错步子，落入水中去了。据他说，他在灯光下发现，她的长袍褶边上绣满了五光十色的珍珠宝石，而那外袍褶边下露出的鞋子亦是华贵非常。

“渔民的船很小很小，船上就他和那女子两人。三月的晚风微微吹着，城里码头林立，水网密布，那海水在月亮的照耀下波光轻荡。此夜此月，云儿飘荡，他们随船入海，一路行驶，终于在日出之时穿过了一片广袤丛林，那丛林离海差不多二十里格远。天亮时，那女子站在船头，让渔民先行靠岸，可还未等船完全靠岸，她就迫不及待地跳下了船，渐渐地，她的身影就消失在了灌木丛中。自此，再没有金阁城的子民瞧见过她，或者我们仍该尊称她一声女王陛下吧。可是在我看来，那女子一定就是我们的陛下。你明白了吧，她抛下我们走了。她走后没多久，她的旁亲雷纳德亲王便接替了她的王位，成了新一代的明哲圣主。他德高望重，廉政清明，爱民如子，实在是我们的福气。”

拉尔夫静静听着，不禁觉得自己从水井处回来后，一直都太过开心，再想到女王的事情，他不禁微微有些自责。但是他也是有心无力啊，就算自己寻回了女王，也只可能会让事情变得更糟罢了。因为他知晓（他一想到她就反应过来）她爱慕着自己，若是她对他初衷不改，又或者她厌倦了待在金阁城的日子，他又该如何是好？更何况如今他也即将启程离开。他在心中如此想着，哎，毕竟这种烦恼也不好向他人倾诉啊。

Chapter 09

集坪山城的国王

傍晚时分，红头发来了，向拉尔夫讲述自己是怎样雇了十二个士兵，以跟随他前往集坪山城。他还建议拉尔夫备一份厚礼收买那儿的国王，因为据说国王是个吝啬残酷的暴君。

之后，他们坐在那个漂亮房子的院子里，美酒相伴。拉尔夫、乌苏拉、红头发，还有云梦乡隐士，他们谈天说地，其乐融融。第二天，红头发与拉尔夫一行依依惜别之后，带领手下离开了金阁城。之后，新上任的部下来到旅店，拉尔夫大摆宴席款待他们，众人对其赞不绝口。接着拉尔夫准备了驮兽和一路的供给，又购买了大量的弓箭，还特意按照红头发的提议，为集坪山城的国王买了上好的银器和布料。

第二天，他们离开了金阁城，前往山脉，既没遇到袭击埋伏，也没动一兵一卒。这一路上相安无事，一来因为他们的队伍里个个都是彪形大汉；二来不久前金阁城刚派人和商队联手剿灭了山里的一伙盗贼，所以这伙贼人即使仍在附近，却不敢再去骚扰过路行人。

此外，他们还路过了牛鼻子遇害之地，见到了他的坟冢。冢堆得很高，盖着新土，土上绿草已经开始生长，其上耸立着一块巨石，上面有公牛的标志，下面还刻着一把剑；因此路人便知道，这是尤特堡的新城主为缅怀他的兄长所建。

下山后，他们到达白城，受到了当地居民的盛情款待。不过他们只停留了一晚，便出发继续前往集坪山城。第三天，他们平安无事地来到城门前，投宿于那儿的商旅客店。翌日，拉尔夫带着三个人，卸去武装，只带着礼物来到国王的城堡。不过，在了解国王的意图之前，他并没有让手下散去。

一路上，他看到的尽是国王残酷统治的铁证：有人被剁掉双手，戴着脚镣踉踉跄跄地走在路上，小商小贩的摊位前有人被吊死，不时传来的鞭笞之声，还有折磨犯人的柱子，诸如此类。他还不得不注意到，当他讲明来意时，守卫很爽快就同意了——他们通常不会为难送礼人。

他直接被带到大殿上，国王众星捧月般地坐在王位之上，周围是他的首领、将军、侍卫们，这些所谓的贵族，并非皇室同宗，而是一群阿谀奉承之辈。

拉尔夫沿着大殿一路向前，看到一群可怜的囚犯，不论男女，在一些官员的押送下都带着铁链，无疑这些人会被折磨致残，甚至处死；他想着是否自己能做点什么可以解救他们。

来到国王跟前，拉尔夫向国王行礼以示顺从，表明了他的良好祝愿，并得到许可，让带他穿越山脉的武士们来到殿上。

国王身材高大，天生是个尚武之人；只见他下肢颀长，一把黑胡须，目光凌厉。他多少听说了拉尔夫携礼前来，因此对他以礼相待。国王说："勇士，你翻山越岭，远道而来，所为何往？"拉尔夫答道："没有什么目的，只求能回我自己的家乡。""你的家乡在哪里？"国王说着，伸了伸腿，又靠回了王座上。"在西边，陛下，很远的地方。""噢，"国王问道，"你翻过山脉，走了多远？有没有到达尤特堡？"拉尔夫说道："不是去尤特堡，而是更远的地方。""哈！"国王说道，"去比尤特堡更远的地方，一定有重要的差事，你是为了什么？"

拉尔夫思忖片刻，觉得最好不要提及乌苏拉。于是他大声回答，语气甚为骁勇："我是为了喝到世界尽头的水井的水，并且，我做到了。"说到这里，他站起身来，双眉微蹙，眼睛里却闪着光芒，双颊亦泛着光彩。他从剑鞘中半抽出宝剑，又还剑入鞘，铮铮有声，这声音响彻整个宫廷；他抬起头，看着周围这些异国的将士，独立于众人之间，他深吸一口气，脚重重地落在宫殿的地板之上，盔甲铿锵有声。

国王一下子坐直了，盯着拉尔夫的脸。那些将士、首领、商人们则退到一旁，颔首站在他的两旁。大家都未作声，直到国王用嘶哑低沉的声音（但语气已大不相同）问道："给我们讲讲，英勇的武士，我们能为你做点什么？"

"国王，"拉尔夫说道，"我来到这里并非为了索取，而是来进献礼物。但是，既然您说了可以满足我的一点愿望，这样更合您意；我便恭敬不如从命了，并且我的愿望不费您一丝一毫力气。我看到，就在此刻宫殿之下有一群可怜的人，正要送去行刑，请给他们自由和生命，免于责罚；除此之外，我别无他求。”国王怒目相向，不过他说道：“这的确是件微薄之礼，但除了你之外，我不会馈赠他人。”

这时，他对身旁的人说：“你去，放了他们，要是他们有事，拿你是问。勇士，这样你意下如何？”拉尔夫大笑，他对自己的力量和威严甚为满意，他答道：“国王陛下，请不要害怕，这才是我的来意。”他转向他的手下，让他们把他从金阁城带来的礼物呈上。当国王看到礼物，整个人不禁喜笑颜开，他是一只贪婪的恶狼，站在近旁就能听到他在自言自语：“真是丰厚！真是富有！”随后他大声地感谢拉尔夫，极尽各种冠冕之词。拉尔夫再次行礼以示敬意，接着他转身，走出宫殿，不禁心中暗喜，如今他已经如此强势，所有人都在他面前退让，对他顶礼膜拜。不过，通过对国王的近距离观察和审慎判断，这个国王既残酷又狡诈，他庆幸自己没有提及乌苏拉，并决心在集坪山城期间不让她抛头露面。

回到旅店，他把手下召集起来，问他们还能追随他到哪儿，这些人一致表明自己可以无条件地追随他到任何地方。于是他们安排起离开的事宜，准备第二日中午时分离开。这时天色已近黄昏，晚些时候，有人求见拉尔夫，此人看起来非常落魄，破衣烂衫，好像是在求人施舍。不过当拉尔夫和他独处时，这个可怜人表明他的装束不过是伪装，实际上他来自宫中，是拉尔夫的一个崇拜者。他说道：“我是一名御前顾问，我必须要告诉你国王的一些情况。尽管一开始他被你的威严震慑，来自水井的朋友，他现在已经明白过来，又变得残暴。或是出于贪婪，或是因为对你的恐惧，他决心派人伏击你们，就在离城镇三里格的地方，在你去往山脉的途中，但你得到消息就很容易逃脱：你可以从小路出发，走到十二里之外，避开伏兵。然而要想避开伏击，你们要一早出发，但也不是没有可能，他会派轻骑，在你们登山之时来追你们。现在我来报信，一方面，因为我的生命应该侍奉亚当之子；另一方面，我也想要求回报，我会告诉你们该怎么做，并给你们指路。”

拉尔夫说道：“你要什么回报，不要害怕；如果我信赖你，我就该还你一个回报。”“我的名字叫做迈克尔·阿·戴乐，”那个人说，“我来自云梦乡，一直很想回到那里，可是除了偷偷跟你们这样的一队人马离开，我没有其他的办法，国王抓住我后会狠狠地折磨我，最后还会将我处死。”

“你的要求我答应了，朋友，”拉尔夫说道，“回去吧，看看你能带上什么东西，明日一早再回到这里。”

那人摇摇头说道：“不，我今晚必须待在这里，和你们武装的士兵一起出发，并穿上武士的盔甲作为伪装。再回到城里会对我不利，这个暴君雇了大批间谍，是的，真的，从某些迹象来看恐怕我已被监视了，他们已经知道我到你这里了。我还要告诉你，国王已经千方百计地打听你们，还有你们队伍中的女人。”

拉尔夫听到这里，脸腾地红了，心跳开始加速；不过就在这时智者来了，拉尔夫把他拉到一旁，告诉他这个人所来何事，问他是否觉得这个人可信。智者来到迈克尔面前，在他脸上端详了好一阵，说：“是的，毫无疑问，他正是云梦乡迈克尔一族的后裔，那家人在第三代便做了盗贼。”

“是的，”迈克尔回答，“你认识我的族人？”

“可以说是了如指掌，”智者说，“我在你出生之前就知道了。”接着他向来人表明了身份，两个同乡见面分外惊喜。拉尔夫看到也很高兴，他走进房间来见乌苏拉，告诉她事情的经过。她说自己恨不得马上离开，这儿对她来说，如同旧日的尤特堡。

Chapter 10

林中遇袭

第二天，拉尔夫一行大清早就出发了。他们一路出了城门，其间一直担心是否会在城内或城附近遭遇伏击，这事之后证明确实如此。然而此时，迈克尔已经换了一身衣服，他的整个头部和脸庞都隐于巨大的头盔之下。至于拉尔夫和乌苏拉，他们则满心雀跃，两人看向面前这最后一片连绵的山脉，终于要回家了，他们这样想到。他们渴望着夜晚的降临，如此他们便可以在彼此温暖的怀抱中诉说着平日的往事。

出了城，拉尔夫一行小心翼翼地沿着大路走了两里地。他们听从了迈克尔的建议，走了一会儿之后，便突然拐进了一条狭窄昏暗的小道。随后，他们往前又走了一段，发现该小径位于山脉边缘，地处暗黄色河岸和森林矮木之间。等他们再回到大路上时，天色已然暗了下来，而这条路却是唯一一条通往群山的入口。此时，迈克尔认为他们差不多已经甩掉了伏击者们，于是，他们一行不禁纷纷高兴起来，更加愉快地朝前赶路。直至深夜，他们才终于停下脚步，决定在路边的橡树林歇息一晚。然而，他们并没有在那里待上太久，而是次日大清早就出发了。他们一路上步伐轻快，晚上便歇在了公路边。因着他们已相安无事地走了这么远，所以一行人已经没有先前的那种提心吊胆了。

第三日午后，拉尔夫一行终于来到一处山坡，该山坡地表崎岖不堪，坡路亦陡峭异常，只见有一片广袤幽暗的森林横亘于他们面前。他们在森林前踟蹰了会儿，拉尔夫突然觉得自己瞧见了森林深处有武器在阳光的照射下闪闪发光，不过因着没太看清，他也尚不确定。于是他下令停下，把乌苏拉护在身后，随后命令所有人攥紧武器，随时听令，以备不时之需。吩咐完这一切，拉尔夫开始带领队伍有序前进，他们一路小心翼翼，走了一会儿，这会不仅是拉尔夫，而是全部人都看见有人拦在前方。一开始，他们认为那不过是旅人都会遇到的山贼强寇，可又走了会儿，迈克尔突然想到这些人也许就是集坪山城的骑手。“是的，”云梦乡隐士说道，“这再清楚不过了。若是他们第一天清晨发现我们已不在城内，也是差不多能推算出我们的动向的，他们必会立马动身，追着我们进入山脉，才不会再在集坪山城逗留。毕竟只有这样，他们才能赶上我们。所以，我猜想他们中必定有着能人奇士，要不然他们早就打道回府了。”

“这样，”拉尔夫回道，“他们人数远在我们之上。要不，让我先行离队，到前面探探虚实吧，看此番行动是否能够和平了结。”智者说道：“好吧，但是请务必小心，必要时记得见机行事。”

于是，拉尔夫孤身骑马至那一行人跟前，他还剑入鞘，准备上前与他们打个招呼，他高声喊道：“林中的勇士们，我是这旅队的领队，有谁能应我一声？”

说罢，对面队伍中有一位伟岸男子骑马走出，该男子身后两侧还各跟着一名骑士。他取下头盔，转身扔给下属，然后回头说道：“过路人，我们个个手持武器，并且人数众多，你们与我们相争简直如同以卵击石。所以，速速投降吧！”拉尔夫听闻不禁回道：“要我投降者何人？”有人高声应道：“自然是集坪山城之王！”拉尔夫再问：“要是投降于你，你将如何处置我们？我们可否能免于赎金，继续上路？”“赎金难免，”那高大男子说道，“给你两个选择，第一，交出那个叛徒；这第二嘛，我要你队中的女人。”

拉尔夫听完不禁大笑出声，这时他可总算明白过来，为何那国王的声音以及那头盔之下的容颜是如此的熟悉。于是，拉尔夫也高声答道，他的言语中出透露出一种超越他此时年纪的沉稳与睿智，他说：“你好，尊敬的陛下！你可要小心了！不要一见到水井朋友的利刃就吓得魂飞魄散，先前你在大殿之上，那宝剑尚未出鞘，你就已经浑身发抖了！”

拉尔夫话音刚落，国王那严酷的声音便响了起来：“年轻人，当心的是你吧，别过分相信你的运气！此刻放眼望去，这林中皆是我的手下，我们人数众多，你们怎是我方对手。乖乖交出我想要的东西，我就放你安然上路。”

“这简直是愚人所为，”拉尔夫喊道，“告诉我，你将如何处置他们二人？”

那国王回道：“那叛徒将被处死，而那女人将成为我的妾。”

听到这里，拉尔夫不禁怒吼出声，他拔剑出鞘，轻踢马刺，向前疾驰而去，他的同伴们则紧跟其后，因为就在拉尔夫和国王交谈之时，他们已然跟了上来。待他们来到近前，便听到混战中一声慌乱惊恐的大叫，待他们定睛一看，天哪！只见那国王被人用利箭穿喉而出，正是骑马不稳，要从马上摔下之时。

再看拉尔夫，他正被众敌人围在中间，他挥剑高喊：“为国而战，我的爱普觅斯！”他的同伴们一听，也不禁纷纷高呼：“为了水井之民！”此刻战场上虽然敌人数目众多，但个个惊惧混乱，他们在拉尔夫一行的进攻下，防御更是破绽百出，然而拉尔夫这边也正无破敌之策。这会儿正是双方陷入僵局之时，突然，一边的树林深处射出了无数利箭和长矛，然而这些利器意不在他们，而是瞬间射倒了集坪山城的敌人们。一阵箭雨过后，大多敌骑都当场毙命了，剩下的残兵也都纷纷往集坪山城的方向逃窜而去。

然而，拉尔夫当然不会让手下去追那些残兵败将，他不知道除却那国王的手下之外，还有谁需要对付。他把所有手下召集起来，正待去看看乌苏拉如何，却没想智者正带着她站在自己不远处。他看到自己心爱的乌苏拉正骑于马背之上，她脸色苍白，因对死亡的惧怕和战争的胜利，惊魂未定，气喘吁吁。

确认她没事后，拉尔夫便大声喊道：“林中的朋友们！多谢你们今日出手相救，敢问你们名讳？你们归属于何方势力之下？”说罢，林中右手边传出一道洪亮高亢的声音，那声音问道：“孩子，先告诉我们，你们是谁人的武士？”突然，道路两边响起了咆哮声，就好似林中满是野兽一般。

于是，拉尔夫回道：“如若你是蛮牛族的族人，那你便是我的友人，而非敌手。又或者，阁下可曾听闻爱普觅斯的拉尔夫？现在，恳请你的领队上前，与我好好畅谈一番吧。”

他的话音刚落，就见一男子从林中跃出，来到了拉尔夫身前。树影斑驳间，王子发现他的穿衣风格酷似之前的牛蓬头，除了他头戴一牛型头盔（之后拉尔夫发现该头盔由铁和皮革制成），臂上套着一金色的大号臂环。

看到他，拉尔夫不禁还剑入鞘，他的手下们一看队长如此，也都纷纷和气地收起了武器。之后，拉尔夫便上前跟那蛮牛族的领主寒暄了一番。

“原来如此，”那首领说道，“那你总得出示些信物，要不然我如何得知，你就是我的亲族在信中提及的水井之民呢。”

于是，拉尔夫便提到了牛蓬头在金阁城交给他的草袋。他将草袋拿出，递给了问话的首领，那人接过后，快速瞥了一眼，便说道：“确实是我兄长之物，看来你们果真是那水井之民。那么接下来，我便会护你安全。我这人一旦信你，便会信你到底，我将不再有所怀疑。你这人，品行高贵，值得尊敬，在不知有我等援助的情况之下，都敢冲锋陷阵，英勇杀敌，的确是个人物。现下看来已无必要问你是否要选捷径出山，若是你想去我们的居所，那远路还是稍显安全。”拉尔夫闻言点点头，并没有再多说些什么。

说话间，林中武士们都纷纷现出身形，他们慢慢走至路上，数量之多让拉尔夫一行面面相觑，多少有点惊疑不定。这时，还是云梦乡隐士出言安抚，叫众人无需害怕，兀自宽心。“我觉着，”老人说道，“就目前来看，这些武士个个并无伪装，不像是有坏心的。”蛮牛队长听到此言，便回道：“长者所言甚是。我大可告诉你，一般像你们这种旅队，若是没有我们一路护送，是绝不可能安然无虞穿过此山的，除非是老天保佑，有着天大的运气，才能使这不可能变为可能。要知道，刚刚那被你所杀的国王前不久才激起过民愤，他冷酷无情，残忍暴虐，直引得瀑布之民怨声载道，非常不满。在他的统治下，整座城市风声鹤唳，流氓遍地，人人皆是避而远之。但是，你们这些善良之人总归是会受到欢迎的。所以，现在，让我们启程上路吧，毕竟现在天色已晚。”

说完，那群人便开始集合起来，首领走在了拉尔夫的左边，而乌苏拉则走在拉尔夫的右边。首领和其属下虽是步行，但却个个脚步轻快，不见疲态，身手全都似狼般矫健。在前面与埋伏者的一番乱战中，他们杀敌六十余人，然而蛮牛队长却没有下令将他们埋葬，而是通通弃于路边。“毕竟，”他说，“这林中野狼、猞猁遍地，乌鸦常年栖于高山，野禽们定会追寻腐肉的气味而至，这些尸首一会儿就会被蚕食个精光。所以，既然可以留下他们给这些动物们果腹，我们又何必要将他们埋葬。不过，尊敬的阁下，你倒是可以将那国王的头颅割下，挂于你的马上，毕竟这是你无上骁勇的证明。”

日落时分，众人终于走出这片山林，来到了山侧的一处瀑布。拉尔夫一行决定就在这里先行停下，于是，他们在灌木丛边生起篝火，唱起了激昂的战歌，一群人开着无伤大雅的玩笑，一派其乐融融。玩累了，他们便围在火边烤起鹿肉，彼此间滔滔不绝地说个不停。其间，众人都用了点酒，要说这酒，还是他们从那业已毙命的国王的车厢里搜出的。他们盛宴招待了拉尔夫，并照他们之风俗，不遗余力地表达了对这队旅人的喜爱。这些人爱憎分明，对朋友肝胆相照，对敌人则是嫉恶如仇。

Chapter 11

穿越西部山脉

第二天一早，他们就一起上路了，这样又走了两天，来到群峰之间一个清幽的山谷，此处便是瀑布之民的安身之地。镇上没有森严的防护，一来这里非常隐蔽，再者，通往山谷的路易守难攻。该地房屋朴实无华，大部分像我们土地上的大仓库，其他则是低矮的小房子；不过男男女女的活动范围主要都在大房子周围。至于男人们，和他们之前碰到的大致相同，个个身体強壮，个头不高，黑头发，蓝色或者灰色的眼睛，满面笑容，善于言谈。而女人们，大部分都容貌秀美，一脸笑意，言辞和善，不受外族人的骚扰。看到这些人当中没有奴隶，拉尔夫问起原因，怎么可能这样，毕竟他们靠抓人为生。他们告诉他，当他们抓到男人或女人时，事实上，这不过是家常便饭，他们通常把那些人卖给平原上的居民，换回自己的生活所需，或者干脆杀掉他们，又或者索要赎金，但是从不带回自己家里用作奴隶。

然而，如果他们抓到的是孩子，碰到这样的情况，他们有时就把孩子带回来，嘴里念一通未经教化的经文，再虔诚地膜拜他们的神，事实上，他们认为这些神就是他们的先人，然后将这些孩子和自己的孩子一同哺育。

现在拉尔夫一行已被认定是朋友，这些山野之人尽其所能让他们在山谷中逗留了三天，盛情款待，为了取悦他们用尽一切方法。他们给这些过路之人演示了他们如何狩猎，他们的猎物有雄鹿也有野猪，还有野牛。开始拉尔夫非常痛恨他们的狩猎方式（尽管对于这些东道主们他始终以礼相待），他十分怀念爱普觅斯的土地和父王的宫殿。然而最后在群山之中猎杀野牛之时，他的内心的狂热和力量被激发出来，干得利落漂亮，山野之人惊奇于他的勇猛，他虽然没有尝试过这项运动，他们却觉得他就是诸神之一，说他们的宗亲做得很好，给他们发现了一个好朋友。不过乌苏拉和智者并没有跟随他们去狩猎。乌苏拉和女人们待在一起，女人们给她讲述她们的生活方式，还有一些古老的故事；她们质朴坦诚，又无拘无束，非常喜欢她。乌苏拉呢，与那些尤特堡诡计多端、满嘴谎言的奴隶相比，她更喜欢这些像男人一样性格大大咧咧的女子们。

第四日，这些过路之人准备好再次启程；乡民们的首领选了一队武装的男人们护送他们。一方面是出于对宾客的喜爱，另一方面，这样就可以看到金阁城的士兵们平安回到平原地带和山中客舍了；他们现在通常走其他的山路，以避开那间客舍。一路无事，全队人马平安抵达了平原地带。

金阁城的人领了饷，向众人辞行，并和山野之人一同称赞拉尔夫的赤子之心和慷慨相待。而那些山野之人，则因为分别悲伤至极，他们中很多人都低泣嚎叫，好像王子当下倒在了他们面前。所有一切终于结束，他们终于又高兴起来，在他们离别之时耳边又响起了欢声笑语。

Chapter 12

剖明心迹

拉尔夫、乌苏拉、智者以及迈克尔·阿·戴乐便这样上路了。他们一路上畅通无阻，沿途看见了一些当地子民，那些子民性格温顺，谦卑有礼，足见这里民风淳朴。一天午后，拉尔夫一行远远地便看见了前方微特城那巍峨的塔尖，这景象使得王子高兴不已，简直到了难以自持的地步。反观乌苏拉呢，看上去则害羞不语，她脸色变幻莫测，看起来非常恐惧。

此刻他们夫妇二人走在其他人前面，拉尔夫转向乌苏拉，问她为何看上去如此烦恼。少女对他笑了笑，说道："有点伤感罢了。就快回到你的家乡了，可能有点近乡情怯吧。穿过这座山，那里的人们我是如此陌生，又有谁知道我是谁，并且来自何方呢？身为女子，尽管我姿色尚可，也颇具勇气，但也就这样了。如今，我来到这充斥着贵族宗亲的地方，要如何才能在这些位高权重的恶人前抬起头来？更何况，我的英雄，现今的你早已与昨日不同，自我们于凶境密林的四望路相逢开始，当我知晓你是国王之子，而我只是个农民的女儿开始，我就知道自己将永远配你不起。你那时只是个相貌英俊，血统高贵，不谙世事的少年，未经几多风雨，而如今，一旦我们回来，你必定会继承大统，开始接管你一直热爱的这片故土。”

拉尔夫愉快地笑了起来，说道：“什么！这么快就忘记我们翻越东境山脉之前的种种磨砺了？哎，可能都是因为没有吟游诗人歌颂我们丰功伟绩的缘故吧，还是说这只是大梦一场？难不成自我们从东境山脉而返，我们的心境已然发生了变化？可那又怎样呢！难道我们不曾坠入爱河，彼此许诺一生相伴吗？若不是我把你从尤特堡那恶魔的折辱中拯救出来，凭你一己之力怎能逃出魔窟，又于黑夜林中与我相见，再带我找到了远在他方的智者！不，难道不是你抛弃所有，无畏无惧伴我身侧，不是你在我于这浩瀚无际的荒野里踟蹰不前时细语安慰？倘若这一切都错了，我又如何会见证你从巨熊的利爪下险里逃脱？倘若这一切都错了，我们又如何能够在那遥远他乡的栗子林中幸福成婚？倘若这一切都错了，你又怎么能够帮我在枯树谷捡回一条性命？是的，倘若这一切都错了，我们又怎么有幸饮下那世界尽头的井水！要不是这一切，那井水也不过是云梦乡的一个传说，一条悬于远山的蓝色水流罢了！所以，就这样吧！就算我们行至此地，默默无闻，甚至无人称颂，那又怎么样呢？接下来会发生什么？又有谁能让我们彼此离分？”

说完，拉尔夫拔剑出鞘，把它掷向半空，在其落下时，顺势抓住了它的剑柄，他高呼道：“乌苏拉你听着！我对着这柄剑起誓，当我回到故土之时，如若我的双亲宗室不爱你、敬你，那我便是无家之人。我将离开我深爱的这片土地，我将不再眷恋那令我日夜思念的皇宫。我将带你去往一个全新的地域，在那里我将建起一座新的城堡。我的爱人，到那时将无人不艳羡我们的爱情！所以，请圣·尼古拉斯助我！请诸神助我！请圣母玛利亚助我！”

乌苏拉激动地看向他，爱恋之情溢于言表，她说道：“哦，亲爱的，你是如此善良！正如我所言，如今整个世界都臣服于你的脚下，天下已是唾手可得！相信我，亲爱的，所有人皆如我这般认为。世人都会认为你是天生的王者，他们会把我置于你的身边点评一番，然后再得出我高攀了你的定论。”

“亲爱的，”王子说道，“你并没有全面看待你自己啊，你看到的尽是缺点，但你该从另外一个角度来看自己。接踵的困难烦扰着你，让你容颜憔悴，几乎把你从我身边夺走。但那接受过井水洗礼的宝剑即将出鞘，它的不二锋芒定会护卫我们穿过一切风风雨雨，直至回到我那平静悠闲的故乡。在那儿，当你发现自己人见人爱，你才会真正了解自己。”

“哎，你总是如此多智，”乌苏拉应道，“你的骁勇，令我在你面前总是显得这般羸弱无力，愚蠢至极！这该让我如何是好？”

拉尔夫回道：“其实，很多事情冥冥之中皆有定数。而如今，眼前路途漫漫，水源匮乏。两边的平原之上，那草原、耕地绵延数里，遥遥倒可瞥见微特城的雄伟英姿。在这春末风沙飘扬之际，有智者和迈克尔跟随身后，马蹄轻扬起地上的尘土。倘若这一切都是黄粱一梦，那就请快些结束，让我们于爱普觅斯宫中早些醒来。我的爱人，那里你虽没见过，但至少我们会在彼此的臂弯中苏醒。”

Chapter 13

回到微特城

这时他们来到一个小村庄，面前是一个岔路口，大路通往微特城，小路通往云梦乡。附近有个破落的旅店，天色已近黄昏，拉尔夫一行只得在那儿歇息，先行住上一晚。吃罢晚饭，四个人喝着酒，拉尔夫问道："迈克尔·阿·戴乐，你明天就回云梦乡吗？""是的，大人，"迈克尔回答，"我可能在那里找到亲人；如果你还记得，作为这一切的回报，我曾恳求你带我去云梦乡，我想我已经完成了我的使命。"

"的确，"拉尔夫说道，"你走吧，我会祝福你的。你在云梦乡会找到同伴，而我们的朋友，也是你的祖辈们的朋友，会和我们一起走的。"

这时，智者倚在桌边说道："何出此言，我的孩子？"拉尔夫笑道："关于这件事，我们这是最后一次聆听你的想法，之前我们也曾跟你提过这事。你还有任何指教吗？""这，"

智者答道，“我不会离开你们，直到你们吩咐我，我再走。你们意下如何？”

拉尔夫向他伸出手，说道：“这样再好不过了，但前往爱普觅斯一路艰难险阻。”“的确，”智者说，“不过我们都会幸免于难，回到你的故土，除非此刻我老眼昏黑，盲无所见。”

乌苏拉这时站起身来到老人面前，张开双臂拥抱了他，说道：“老人家，我们一起走，你的智慧会保佑我们。水井之友，你还要给我们的孩子授业解惑，也许还有孙子。”

“我哪里知道怎样授业解惑，”智者说，“至于和你们同行，我方才已经答应。其实此事我早已言明，即使话未出口，也会照办，毕竟我也从你们身上领受到许多。”

说到这，拉尔夫和乌苏拉不禁笑逐颜开，就这样他们度过了一个愉快的夜晚。

第二天一早，一行人上马，拉尔夫对迈克尔说：“好吧，朋友，你只能一人去找你的亲人了，祝你在云梦乡能过上好日子。但是如果任何时候你过得不如意，想来爱普觅斯，那尽管来，我们会尽其所能资助你。”

这时智者也骑马来到迈克尔近前，迈克尔是一个四十来岁的壮年男子，智者说道：“迈克尔·阿·戴乐，把你的手给我。”他把手递过来，老人看了看他的手掌，说道：“这个人会有高寿，而且，王子，很有可能他会来爱普觅斯，并葬在那里。”拉尔夫说道：“我们会非常高兴他来找我们，如若是那样，我们的生活该是多么愉快。再见了，迈克尔！祝你心想事成！”

迈克尔也向他们道别，骑马向云梦乡奔去，他跑得很急，像一个急于摆脱梦魇的囚徒。

他们三人就此出发前往微特城，五月下旬接近中午的时候，他们抵达城门，恰逢城里有集市，街道上熙熙攘攘，他们看着这些人，心里很是欢喜，这些人在他们眼中不算是外族人。而城民们也好奇地盯着他们看，对老者和两名骑士都友好相待，也没有看出乌苏拉其实是个女人。

因为人群，他们走得非常缓慢，走到圣彼得门的时候，他们突然听到身旁有人大叫一声，那声音又惊又喜；于是拉尔夫拉住缰绳，转过头，朝声音传来的方向望去。乌苏拉这时看到一个武士模样的男人，宽肩膀，灰头发，蓝眼睛，脸色发红，佩着长剑。拉尔夫从马上跳下来，去迎那个冲过来的人，搂住他的脖子亲吻他，啊，他是红脸理查德。周围的人们看到这样的情景，纷纷上前围住他们，拍手称赞道："为久别重逢的朋友欢呼！"大部分人都认识理查德，他大喊："各位，麻烦让开路，你们还想分开我们吗？"接着他对拉尔夫说："上马吧，小伙子。你肯定有好多话要说，在街上诸多不便。"

于是拉尔夫不再耽搁，他听话上马，与他们一道前往那家之前带给他沉重回忆的客栈。理查德走在拉尔夫一旁，边走边说："另外，小伙子，我能看出这不是个悲伤的故事；因此，我的心就放下了，我已经等了好久了。"接着他又说，"尽管这个城镇没有战事，但把她的美貌藏在战袍里也是好的。"

乌苏拉脸红了，理查德大笑道："这么说，这是从东方带回来的娇艳玫瑰。你们一对璧人，才子佳人，无人能及。现在，我看到你有话要说：告诉你，你的哥哥布勒斯还在人世，并且过得幸福如意，他现在非常富有。事实上，他富可敌国，兵强马壮。”

拉尔夫问道：“与黑暗骑士怀特的战事如何？”

即便是问话，他也变了脸色，往事历历在目，梦中的丰饶夫人、多萝西娅，如今换成了身旁的乌苏拉。但理查德说：“长话短说，我杀了他，他的手下们都渴望友善镇能和平。许多人高兴他死了，只有少数人悲伤难过。因为，他看起来年少英武，实则为一个暴君。”

这时，他们来到羊羔客栈，客栈和拉尔夫之前住的时候并无二致。走进客栈的时候，拉尔夫感到自己的心在滴血，往日的悲伤再次涌上心头。乌苏拉充满爱意，无忧无虑地看着他。他们进门之后，理查德转向智者，说道：“向你致意，长者！你实际的年龄比看上去要大四十岁，你已经超越生死，我要说的是，你像是独居在云梦乡群山之间的隐士，那时我还是个小孩儿，可怕的是，你还是老样子。”

智者大笑道：“是的，在我看来，我和四十年前也并无不同。你的记性不错，白胡子。”

于是理查德摇摇头，压低声音说：“是的，这可不是什么梦或者幻想之类的，他喝了井水，我亲爱的殿下也喝了。”于是他兴高采烈地抬起头叫来佣人，让他们准备一间上好的客房，再在另一间准备宴席。他们来到楼上的精致别间；乌苏拉离开了一会儿，回来的时候换上了华美的女装，是拉尔夫在金阁城时给她买的。理查德好一会儿都目不转睛地看着她，然后他站起身在屋子里不好意思地走来走去，一会儿和老人说几句，一会儿又和乌苏拉说上几句，就是没有和拉尔夫搭话。最后，他对乌苏拉说：“女士，请恕我带走你的男人，我要和他在那边的窗下单独聊一会儿。你先和智者谈谈。”

乌苏拉高兴地大笑：“保姆先生，把你的小宝宝带走，到哪里宠爱他都可以，我不会看的。”

于是理查德带拉尔夫来到一个窗前，坐在他的身旁，说道：“我的问题可能会让你伤心，但是它让我想起我们分别时的谈话，因此我必须要问问你，那个女人比这个更美吗？”

拉尔夫皱着眉。“不知道，”他回答，“那一位已经过世。”

“是的，”理查德问，“要我说，这个女人完美无瑕。你们一起喝的井水吗？”

“是的，当然。”拉尔夫回答。理查德问：“这个女人是否心地善良？她勇敢吗？”“是，是的。”拉尔夫红着脸回答道。

“和另一个一样勇敢吗？”理查德问道。拉尔夫说：“除非她们做同一件事，要不然我怎么判断？”“你们成婚了吗？”“确已成婚。”拉尔夫说道。

“你觉得她真实吗？”理查德问。拉尔夫回答：“胜过我自己。”这时他的语气里已经有点愤怒。

理查德说：“这样最好不过，最好不过。你娶了一个活生生的人，而不是梦中的仙子。”

拉尔夫静静地坐了一会儿，好像在吞咽他的悲伤，最后他说：“老朋友，你别再说这些了，这只会让我心痛。”

理查德说道：“好，我不再多说，我心中的疑虑已经全数道出；殿下也无需畏惧我，我不会再过问此事，你也应该知道，这件事我必须要说点什么。”

拉尔夫友善地向他点点头，这时宴席已经准备好了，完全是宴请王子的规格，非常丰盛。倒上最好的酒，他们饶有兴致地坐在席间。拉尔夫讲述了他的游历故事，再加上乌苏拉告诉他的尤特堡的故事；其间乌苏拉并没有插嘴。于是最后拉尔夫希望能听到乌苏拉说点什么，故意讲了一些言过其实的话，但乌苏拉还是没有说话，只是对着他时不时地莞尔一笑，她坐在那里，脸烧红云，穿着绣着金色花朵的长裙，犹如一朵玫瑰。理查德看着她，心里大为赞赏。

拉尔夫讲完故事（故事太长，这时夜已经深了），理查德说：“好，孩子，你如今见多识广，有所作为，许多人都会说你是个幸运的人，甚至更多的人愿意接受你的统治。你现在去往哪里，又打算做点什么？”

拉尔夫脸红了，仿佛回到了两年前，他在争论问题时的情形，他回答：“我该去哪里拯救我的父王和先帝们的宫殿，还有养育他们的土地？除了和我的臣民生活在一起，让他们远离邪恶，热爱他们，给他们忠告，除了这些，我还能做什么？除了回到那里，我还能在哪里关爱他们？难道他们都变成坏人、蠢蛋了吗？”

理查德回答：“没有人像他们那么蠢，也没人像他们那么懦弱。但是你现在已经变得睿智强大；今天的你已非昨日可比，早已成为强者中的强者。你还要去爱普觅斯吗？你会住在那里吗？爱普觅斯是一块美丽的地方，但是甚为狭小；那里日复一日，没有什么不同，除了有苦难降临。而外面的世界这么广阔，现在我觉得，哪怕你赤手空拳，也能缔造辉煌。”

智者说道：“是的，云梦乡的理查德，你怎么知道此时此刻爱普觅斯没有危险？如果有危险，除了自己的殿下，他们还能向谁求助？谁会不遗余力地帮助他们？”理查德说：“智者，也许真的会发生这样的事情，尽管我们没有那里的消息。但是如果殿下去帮他们，扫除危险之后，殿下要不要回到这纷争的世事当中？”

“不，理查德，”智者说，“你不了解他，所以你不明白，他会给那片土地带来和平，他需要他的臣民，正如他们需要他；那么既然他远离了家乡一段时日，是否应该尽早返回？是的，那不过方寸之地，但同样也可以伟大强盛。”

谈话中拉尔夫静坐一旁，目光呆滞地望着远方，似乎没有注意到他们在谈什么。这时，理查德在静默之后又说道：“智者，你说得没错；是的，是这样的，尽管没有听说爱普觅斯有战事，但是我们感觉到了周围空气的躁动，甚至万物的变化，伟大的力量正得以释放，懦弱正在变得强大。谁说殿下回到爱普觅斯，不会大显身手呢？”

拉尔夫转过头，好像是从梦中醒来，他说道：“明天，我们就从微特城离开，我们三个，直奔爱普觅斯？”

理查德问道：“你不在这里住一两天，和你的同胞兄弟谈谈你发生的事情吗？”“是的，”拉尔夫说道，“我很乐意，如果不是父王的处境和母后的悲痛在召唤我，我很想和他聊聊。”

“噢，不要耽搁，”乌苏拉说道，“不，不要过了今晚；

就把此刻当作日出，我们在月光下出发。看，月光照进了窗户！”

接着她转向理查德，说道：“亲爱的，你不知道他作为水井的朋友，甚至比这位年长的智者，更了解远方发生的事情吗？”

拉尔夫说道：“噢，理查德，她说的是真的。那些火把现在正一步步逼近爱普觅斯的宫殿，接下来情况会如何？是的，宫殿在火光中闪闪发亮，如同草地上惊心动魄的火烛，护城河的水亦被火光映成了红色！我们在这里能做什么？”

这时他推开桌子，站起身来，走到马具那里，穿上盔甲，他对理查德说：“尽管夜色已深，还请为我们打开城门；我们要走了，亲爱的朋友，也许我们还会相见，也许后会无期。你要告诉我的哥哥布勒斯，他不知道我来这里，告诉他我的情况，又是因为什么我要离开这里。让他来爱普觅斯看我，来时要带一批人马，远离危险的道路。”

理查德说：“我会把你的话原原本本告诉布勒斯大人，殿下，我真不忍心离开你。至于布勒斯，他不再需要我：他已经是港市的首领，港市中有许多的士兵和比我年轻骁勇的将领。现在让我派个人把我的马和盔甲带过来，再派个人给城西门值班的头领送个信，让他准备好通行文牒，为我还有我的三个朋友开门。港市首领的兄弟住在羊羔客栈，在这个消息传开之前，我们要赶紧出发。我能看出，夫人所言真实可信，她可以预言，跟你有同样的本领。现在我想也许我可以带一队轻骑，尽管路上所遇之人可能并不是我们的对手。”

拉尔夫说道：“你说得很对，理查德，但是千万别带人马。

路上也许会有剽悍的贼寇，如果你在城里来回驰骋，我们也许会被布勒斯或者他的手下叫住。你现在叫人把马和兵器盔甲带来，我们准备好之后，让看门的守卫悄悄给我们开门，我们现在就可以趁着月色上路了。不过你，亲爱的，就没有必要再女扮男装了，几个月的旅程之后，荒野沙漠已经过去，家乡已经近在咫尺。我要说，所有的朋友正向我们聚拢，他们应该很愿意为了父王的儿子，还有水井之友的平静生活战斗一番。”

对于其他人，尤其是乌苏拉，他讲话铿锵有力，语气欢欣，像是面对国王，又像是对其将领发言。理查德按照他的指示，迅速派人照办。智者说：“拉尔夫，我的孩子，既然你失去了一个将士，我提议让一位金色天使来接替他。我恳请你让理查德给我找一套盔甲武器，也许我还可以作为你队伍的精锐。作战时你会发现我廉颇未老。”

拉尔夫大笑，请理查德遵照老人家的要求。理查德买来了战袍盔甲、一把利剑、一把斧头，穿戴停当，智者看起来威武强壮，不逊于寻常的武士。这时，理查德的马和盔甲战袍也都送来了，他迅速穿盔戴甲，将钱付于主人。他们四人出了客栈，这时夜已深，街上空空荡荡，寂静无声。他们不再逗留，很快便来到西门城门，城门迅速打开，他们在月色下离开了微特城。

Chapter 14

离开微特城

月色照耀着大地，拉尔夫一行一路上风平浪静。走了一会儿，理查德突然问拉尔夫：“我们现在去哪？”拉尔夫回道：“除了爱普觅斯，还能去哪？”“好吧，殿下，”理查德应道，“但是走哪条路呢？要不我们先去漫天河的浅滩，走人们常走的那条路，又或者先下坡去到丘陵处，最后再进入后面的森林？在那之后，我们还将经过很多的森林和丘陵，这一路便是如此，直到我们来到四湾镇。”

“哪条路近呢？”拉尔夫问道。“事实上，”理查德说道，“走原始森林应该算是近路吧，如果你跟我一样熟悉它的话。”智者回道：“是的，或者说像我一样熟悉它。真是奇了！我们两个云梦乡人对这片森林居然比对二十英里外的故土还要熟悉。”

拉尔夫疑惑道：“好吧，就抄近路吧。可还有什么疑问？看你二人神色为难，莫不是有什么猛狮拦于路上，以致我们很难通过那四湾镇？”

理查德回道：“尽管四湾镇离微特城不远，但我们却对其知之甚少。毕竟这两处并无什么商贸往来，只有一些从我们这里流放过去的乡民罢了。诚如我在酒家时所言，外界有传闻说，四湾镇的城主已不复往日那般凶恶残暴，刚愎自用，如今那里的乡民活在和平与安宁之中。”

智者说道：“不管怎样，我们现今已掌握了足够的技巧来迷惑我们的敌人，这样我们就能够轻松地通过此城。现下已再没什么可怕的了。”

然而理查德却凑近拉尔夫的耳边，轻声说道：“我们真的要走那条近路吗？那条路白天都不知道会发生什么事，更何况我们明晚还要赶路？”拉尔夫亦轻声回道：“好吧。其实，我也想看看自己能做到何种程度。”

于是，王子一行便又继续上路了。他们离开了通往漫天河的道路，要知道在那儿，拉尔夫曾在那场不幸的杀戮后遇到了布勒斯和理查德，那简直就是噩梦般的一天。拉尔夫一行又往前走了一段路，他们穿过了一片灌木，最后终于进入了位于荒野上的狭长峡谷，这时理查德不禁说道：“太好了，我们已经到了。如若现在布勒斯派骑手客气地请我们回去，一时半会儿也是追不上的。他们应该会直奔那浅滩处，甚至会渡过漫天河来寻找我们。”“是的，”拉尔夫应道，“确实如此。”

而此时，夜色已开始渐渐散去，天边泛起了鱼肚白。那月亮在旭日的照耀下是如此火红明亮，它慢慢西下，直到后来终于落入了地平线下，隐而不见。拉尔夫一行没走一会儿，便来到了一所牧羊人的房屋前，他们上前查探了一番，发现里面早已空无一人，只有一条年岁已高的牧羊犬趴于地上。而屋子里呢，还剩下点食物——面包、白乳酪和一桶酒。于是，他们一行便在这房子里歇息了一晚。

Chapter 15

荒野怪人

第二天他们继续上路，开始经过的是一片只有少量耕地的乡野，山脚下，草地茂盛之处也有一些羊群，所过之处还有不少深谷。他们只看到几间房子，又小又破。还碰到一些牧羊人，全都木讷少言，一行人依样画葫芦地向他们打了个招呼，不过这些乡民的问候也只是像在路人身上打了个水漂而已。

直到正午之前他们都在骑马向前。理查德一路上格外地谈笑风生，尽管平时他已经算得上健谈；智者也是侃侃而谈，然而乌苏拉却很少开口，似乎别人说什么，她都没有在意。拉尔夫觉得她的脸色比平时苍白，眉头紧蹙，似乎心中有些焦虑。他呢，则是严肃平静，沉默寡言。理查德说得正起劲，拉尔夫盯着他看了一会儿，直到看得他脸色变了，理查德才稍作收敛，不过很快又打回原形。拉尔夫看着他，内心却在挣扎着忘却痛苦的回忆，把注意力放到脚下的这片土地上，他觉得自己肯定来过这里，抑或是在某个噩梦中云游至此。

最后，他们来到山脚下一片郁郁葱葱的灌木丛边休息，拉尔夫把理查德拉到一旁，问道：“老朋友，我们该往哪走了？”理查德说道：“你知道的，去往四湾镇。”“是的，”拉尔夫说，“那走哪条路？”理查德回答：“年轻人，你的内心怎么不像昨晚那么坚强了？”拉尔夫静默片刻，说道：“我知道我该怎么做。我们走最近的路，去丰饶城堡。”

他说这话时声音洪亮，理查德对他点头赞许，好像在说：“是的，就是这样，保持平静。”这时拉尔夫知道乌苏拉从后面过来了，他仍是看着理查德，手腕向后伸去，乌苏拉顺势拉住了他的手。接着他转身，发现她面无血色；于是他把手放在她的肩上，关切地吻了她；乌苏拉把头埋在他的胸前低泣了一会儿。两位长者则转身到马匹那里，忙着照看马儿。

这样他们停留了片刻，接着又都上马，这时乌苏拉脸上的悲伤和恐惧一扫而光，脸颊和嘴唇又红润起来。而拉尔夫虽然神情严峻悲伤，走的时候却故作欣喜地大声说道：“如此极大缩短了前往父王宫殿的路程；此外我希望能看看四湾镇的居民是否变得温良平和，枯树谷剽悍的守卫们现在怎么样了，是否有机会与我们来一次文明的刺枪比赛。”

理查德对他笑道：“那我们岂不是要在枯树谷多逗留一段时间？之前我们还觉得那些守卫比镇民们要难缠。”

“的确如此，”拉尔夫说道，“不完全了解他们的人往往会有所误解。现在，我有个心愿，噢，云梦乡隐士，我想见到他们中最优秀的那个，他身材高大魁梧，在我看来，不知何故他对我也是惺惺相惜。”

智者说道：“如果你不能看到这个愿望实现，那么我也不能。在我看来，还会有相似的厄运发生，知足常乐，我的孩子。”

拉尔夫这时平静下来，他们一路上快马加鞭，乌苏拉骑在拉尔夫一侧，眼神里满是关爱，一有空还会轻抚他；不多时，他又开始讲话，声音还是高亢兴奋。最后，又过了一小时，他们看见一条小溪，溪水从池塘溢出，向漫天河流去，那池子就是丰饶夫人被杀之前沐浴的地方。拉尔夫死死地看着那溪水，虽然他的内心痛如刀绞，如同新伤覆着旧疤，但是他的脸上却不露声色，声音还是和之前一样高兴。乌苏拉注意到了拉尔夫，他目光迷离，对别人的谈话不加理会。她知道他心里的折磨，很久之前他就将此事和盘托出，她的内心也很痛苦，她定定地看着他，一言不发。

这样，日落西山之前，他们来到了那个陡峭的悬崖，崖上有个洞穴，下面有一小片绿地，岩石河岸完全浸没在水中。事实上，他们是从山谷浓密的灌木丛中走出，突然撞到了这里。因此，不仅智者和拉尔夫，就连乌苏拉见此情景也停了下来，仿佛出于强迫而并非自愿，因为他们都知道此地发生过什么。但是拉尔夫，尽管不忍直视，依旧稳步前进，当他看到其他人仍逗留在那，他招手示意，边骑边大声喊道：“走啊，朋友们，这条路离父王的宫殿最近。”于是他们甚为惭愧，抖抖缰绳快马追去。

但就在此时，突然有人从水池周围的灌木丛中大步流星地走出来，站在浅水处，身上还滴着水；此人皮肤棕褐色，毛发发达，浑身赤裸，只有裆部有一条绿色的环带遮羞。他身材较常人高大，面露凶色，乱蓬蓬的头发像淋了雨的干草一样，下面一张黝黑的脸，两只眼睛闪着光。他站在那里看着他们，从一数到五的工夫，突然就冲了过来，一句话也没有说，也没有叫喊，直接扑向乌苏拉，后面的三个人中，属她骑在最前面，眨眼之间，乌苏拉就被那人拽下马来；她在他的铁爪之下，如同一只被鸢抓着的斑鸠。接着他把她扔在地上，站在她的身边，晃着一个大棍子，但他放下棍子时，脸却转向悬崖和洞穴的方向。这时，一把剑刺向了他，接着又是一把，他仰面倒地，胸口和身体一侧分别被理查德和拉尔夫刺中，伤口很深，且是致命伤。

拉尔夫不再管他，把乌苏拉从他身边移开，把她扶起来，让她的头靠在他的膝盖上。她没有完全昏厥过去，事实上，她没有什么大碍，只是因为被举起又扔下吓昏了。

她抬头看着他的脸，对他笑笑说："他对我做了什么，为什么他要这样做？"

拉尔夫惊魂未定，依然怒目圆睁，他答道："噢，亲爱的，悬崖山洞里出来的死神和宿敌。他们干了什么，上帝？他抓住你想要杀你，但是我杀死了他。不管怎么样，这是个可怕、不吉利的地方，我们赶快离开这里。"

"是的，"她说，"我们赶紧走吧！"乌苏拉直起身来，此时她身体还是有点虚弱，步子踉踉跄跄，于是拉尔夫起身，用左胳膊扶住她。此时理查德正跪在野人跟前，智者用头盔从河边打来了水，于是拉尔夫大喊："上马，理查德，上马，你还没有杀死这个山贼吗？"

但是地上传来一个虚弱沙哑之声，野人开始说话："爱普觅斯的孩子，不要走得这么急，不会用太长时间的。你和红脸理查德下手都不轻啊。"

拉尔夫很惊奇，这个野人居然认识他和理查德，但是山野之人又说："仔细听，爱人，年轻人！"

这时智者来到他身边，也跪在怪人一边给他喂水，他喝了点水，拉尔夫对他说："林中之人，你是谁？你能说我们的言语，你是谁？"

野人喝了点水，稍微坐起身，说道："年轻人，你和理查德都是身手敏捷的勇士，你们让我的血流得有意义，并带回了我的心愿，它之前一直在四处游荡。而如今它就在想在的地方。"

这时他又躺下，却把头转向悬崖山洞的方向。但拉尔夫觉得他之前听到过这个声音，虽然不明原因，但他对这个野人的心肠突然软了下来，他说道："你为什么要袭击那位女士？"野人挣扎着愤怒地答道："另一个女人在这里做什么？"接着他用平静但虚弱的声音说道："不，我的心不愿再到处漂泊，我和我的心将一同上路。但是你，年轻人，如果可以，我要说的是，你从她身边逃走，忘记了她。而我来到她身边，忘记一切，忘记了我的生命。"

接着他又说，这时声音更虚弱了："跪在我身旁，不然我没有办法告诉你我的遗愿，我快说不出话了。"

拉尔夫跪在他的身边，开始大概知道他是谁了，他把脸凑近这个将死之人，对他说道："我在这里，你有什么遗愿？"

野人奄奄一息，说道："过去我没为你做过太多事；我心系于她，怎么可能为你赴汤蹈火？但是，我多少还是帮了你。相信我，等我死后，让我躺在她的身旁，她尚在人世的时候我办不到，因为我不敢踏入那洞穴。"

于是拉尔夫知道他是谁了，就是最初他在尼德屯附近，教堂后院门前碰到的那名高个战士。于是他说："我知道你是谁了，我保证会按照你说的去做。非常抱歉我杀了你，请原谅我。"

他的眼中含着略带讽意的笑容，喃喃道："是理查德干的，不是你。"

那笑容在他脸上展开，他努力朝拉尔夫的方向挪了挪，然后低声说："最后一次了！"

他再也没有说话，分明已经咽了气。智者起身说道："斯者已逝，我们按照他的遗愿把他埋了吧。你的愿望已经实现；他就是那个圣战士，枯木军的领袖。真遗憾他死了，尽管他对敌人冷酷无情，但他不是个坏人。"

理查德说道："此地盛传野人和巨人之谜，现在谜底终于揭晓。唉，或许本来我们还能一同玩耍，我和他曾是儿时的玩伴，时常戏耍，他还曾经打败过我。他过去是个聪明谨慎的家伙，怎么会变成这山野之人，实在太可惜了。"

拉尔夫解下他猩红色的斗篷，裹住了那位曾经受人景仰的战士。乌苏拉替他修剪了头发和胡子，直到众人能看出这山野之人的脸。呜呼哀哉！拉尔夫这才认出他的面貌，而此时一切为时已晚。他们抓住四角将他抬过河，放在悬崖下的草地上；理查德和智者把他抬入了洞穴，放在拉尔夫为丰饶夫人堆的坟边上。就在那里，他们为他也堆了一座新坟。

这时，乌苏拉跪在洞穴口，低声哭泣；拉尔夫转过身站在河岸上，看着溪水流向山谷泛起的涟漪，月光下，林里影影绰绰，直到他们两个从洞里出来。拉尔夫拉起乌苏拉，吻了吻她，接着他们从这个厄运连连的死亡之地出来，骑上停在河对岸的马儿。月色下，大家沉默着又往前走了三英里路，在那儿，他们停了下来，纷纷躺在荒野中的灌木丛中入睡。

Chapter 16

再回丰饶城堡

第二天，拉尔夫一直都心不在焉，沉默不语。他们一行匆匆赶路，一路上只能听见理查德和智者的说话声，拉尔夫有时出于礼貌才会有所回应。

当他们一行人穿过树林，从橡树湖出来时，夕阳正在西沉。于是，理查德勒紧缰绳，说道："夏天的夜晚在这里露宿可是再好不过了。我敢打赌，无数路过的骁勇骑士和尊贵夫人都曾同我们一般夜歇于此，他们欣赏着这周围的美妙景色，无不祈祷着夜晚的时光在那一刻变为永恒。说了这么多，难道我们不要在此歇息歇息？"

闻言，拉尔夫惊讶地看向理查德，渐渐地，他年轻的脸庞上涌上了愤怒的神色。一开始众人看着他的脸色，皆是不明就里，但是慢慢地，理查德和智者突然意识到这里便是丰饶夫人的殒身之地。直到此时，拉尔夫才发现原来自己脑海中还记得他们去过的每一寸土地，他明白其他人肯定也是知晓这件惨剧的，但是就算知道，大家还是会选择睡在这里不是吗？对于理查德他们来说，这不过是块平常的草坪罢了。

很快，拉尔夫强逼自己收回思绪，他自嘲地笑了笑，还是不愿与他人歇在这故人之地。于是，他低声说道：“不了，我的朋友，为什么我们不趁着天亮尽快赶路？现在离太阳落山还有一小时。”

理查德听完，不禁点头表示同意，一旁的智者亦没有多说什么。然而，乌苏拉却是十分焦急地望向拉尔夫，好似她十分了解他现今的所思所想。没过一会儿，他们一行人便轻骑离开。临行时，拉尔夫站在橡树下，他不禁回过头来，又望了望这片令他伤心至今的土地，好似想从中再找出佳人昔日留下的丝丝倩影。看了一会儿，他不禁仰起头，逼回了眼中的泪水，随后，他抖抖缰绳，便随着众人沿着河水离开了。

没走一会儿，他们便离开河流，来到了一处林地。是夜，他们歇在了一条向西流淌的溪水旁边。

次日，他们早早就起了，智者对这树林了如指掌，他们一行很快便进入了丰饶城堡境内，经过午后两小时的脚程，拉尔夫众人终于来到了丰饶平原。这平原上荒草丛生，亦无牛羊放牧。乡民们有的在自家的花园里劳作，有的在田间放牧，他们个个看上去幸福无比，衣着妥帖，待人亦是进退有度，温和友善。

拉尔夫等人走近后发现那丰饶城堡的四周围着华丽的外墙，平原上放眼望去也尽是乡民们的屋子，若是仔细看去还会发现有一幢白色的小教堂伫立其间。这里的白天正如往常一般晴空万里，光是看着此番景色，人的心情都不禁随之开朗起来，然而拉尔夫环视着这一切，却发现自己的心情并无所动。

随后，他们一行走出树林，骑马来到了浅滩。那里的乡亲们一瞅见他们，纷纷放下手中的活计，从院中走出，围在他们身边好奇地指指点点。这时，一位老人从人群中走出，他走至拉尔夫身前说道："哦，这位骑士！你又回来啦？你有我们夫人的消息吗？这位美丽的女士是谁？她就是我们的夫人吗？"

拉尔夫回道："并非如此。你上前先仔细瞧瞧她，之后再告诉我你的想法吧。"

于是那老人来到乌苏拉跟前，近距离地注视着她的面容。不仅如此，他还拿起少女的手仔细看了看。看完之后，他跪于地上，把乌苏拉的脚从马镫上取下，俯身虔诚地印下一吻。做完这一切，他回到了拉尔夫身旁，说道："殿下，我不太确信这位女士是谁，会是夫人的姐妹吗？你们队伍中的那位老者，我曾在夫人身边见过。就算我的推断正确无误，这位女士真是夫人的姐妹，那她也不是我们的夫人啊。所以，好心的殿下，请告诉我夫人的现状吧。毕竟我们很久都没见着她了。无论你说什么我们都会信的，你就是她的守护神啊。哎，自上次你在丰饶城堡等候夫人，这都过去两年了，如今阁下你变得身强体壮，容光焕发，想当初，丰饶夫人是多么地爱慕你、思念你啊。"

拉尔夫问道："老人家，你能否感受到我的苦痛？若我据实以告，你能承受住吗？"老者闻言摇摇头。"不能吧，"他说道，"你的语气真叫我害怕。"拉尔夫说道："事实虽然残酷，但事实就是事实啊，恐怕你再也瞧不见你的夫人了。我是这世上最后一个看见她的人。”

说罢，拉尔夫不禁提高声量，朝着众人又重复了一遍：“抱歉，各位！丰饶夫人已然死去。但是她托话要我告诉诸位，安然地活着，热爱这世上的一切吧。”

那老者听到这里不禁以袖掩面，乡民们也都开始啜泣起来，他们纷纷哭喊道：“可怜的我们！丰饶夫人已死！”有的年轻人甚至跪在地上哭天抢地，痛哭流涕，看上去很是可怜。这些人看上去是多么的无助啊，他们不知道前路在哪，也不知自己的未来如何。那一张张木讷的脸上溢满悲伤，不过倒是男人们比女士们看上去要伤心得多罢了。

最后还是那老者开了口，他说道：“敬爱的殿下，你可给我们带来了一个灭顶的消息。这叫我们如何开口询问细节？如果可以，你给我们说说夫人是怎么死去的吧？可怜的我们！”

拉尔夫回道：“她是死于别人剑下。”

老者闻言身体不禁僵硬起来，他的双眼在灰白的头发下气得通红，连脸颊也渐渐染上了愤怒的神色。其他乡民也是拼了命地往前挤，以图听见更多关于丰饶夫人的故事。

然而那老者又开口道：“告诉我，到底是谁杀了她。我定要宰了他，为夫人报仇。否则，我这下半辈子都得在痛苦中度过。”

拉尔夫说道：“说实话，你是杀不掉他的。他人高马大，孔武有力，身披金日蓝底战衣，身份显贵。你又如何能杀掉他呢？”“话虽如此，”老者说，“但我一定会去杀他，这辈子不是他死就是我亡。”

“大可不必。记着丰饶夫人的嘱托，都与世无争地活着吧，”拉尔夫回道，“更何况，我早已取了那男爵的首级。”

那老人闻言兀自平静了会儿，然后开口道：“我知道他，不久前他曾来过这儿。就算他死了，那恶人还有个兄弟在世，与他一样蛮横无比，搞不好也会对我们来势汹汹，想把我们除个干净。”

拉尔夫回道：“我可以向你保证，除非大地裂开，要不然他是不会来复仇的，因为昨日我的利刃已然刺穿了他的身体。”

至此，那老人家再次陷入了沉默，男人们围在拉尔夫的四周，女人们则站在离他很远的地方望着他。过了一会儿，那老者走至拉尔夫身前跪下，亲吻了王子的双足。做完这些，他转回人群，招来了其中三个最为强健的男子，并和他们说了些话。说罢，他又来到拉尔夫面前跪下，说道：“殿下，你来到丰饶城堡，也看到我们因失去夫人而无依无靠。但是幸好我们还有殿下你，毕竟她生前是如此爱你、敬你，而你也帮她手刃仇敌，报仇雪恨了，足见你是个心怀仁慈的大人。所以，请可怜可怜我们，做我们的新主吧！我们将毕生忠心侍奉你，如果你受困于敌，我们将重新拿起墙上的长弓，赶至你的身侧，为你浴血奋战！请不要把我们从这里驱逐，我们常年定居在此，除了附近的丰饶城堡、边缘之林以及附近的荆棘城兄弟会之类，我们对他物均是一无所知。现在，我恳求先父们让你不要拒绝我们，如今只有你能给予我们活下去的勇气。更何况，我们还注意到你脖子上挂着我们夫人惯常佩戴的项珠，你们先前一定经历过很多事情。”

拉尔夫一直静静地听着，然而这时云梦乡隐士开口了，他问道：“老人家，失去丰饶夫人，你有多么心痛？”“智者，我现在哀莫大于心死，”那老人回道，“你一定可以理解我，你之前也是见过她的。”

“那她曾为你做过什么？”智者接着问道。那老者回忆道：“她对我们很好。堡里从来没有那些苛捐杂税，相反，夫人还时常资助我们，分给我们很多的好东西。她每次来我们这儿，我们都会变得富足。你瞧瞧这周围就能知晓，自从她不再来这，这里便慢慢开始凋敝了。”

听罢，智者意味深长地笑了笑，只见那老人接着说道：“只有夫人的到来才会给我们这儿带来好运气。要知道，她所经之处，皆是草木繁盛，花儿芬芳。”说到这里，那老人家不禁又是悲从中来，止不住地落泪。

倒是智者闻言后沉默了下来，拉尔夫也是一直没有说话。然而这时，人群中所有年轻人的目光都锁定在了乌苏拉身上。

过了一会儿，拉尔夫复又开口道：“哎，这位老人家，以及丰饶城堡的子民们！诚然，你们死去的夫人爱我、敬我，也正是有了她的相助，我才能成为水井之民。现今，你们失去了你们如此热爱和尊崇的夫人，但我们都知道，凡间种种皆为天定，冥冥之中一切皆有安排。你们如今生活在和平与安宁之中，万物富足，若是有难，还能得到荆棘城的帮助，我实在不明白你们为何非要另寻新主？但是，倘若你们执意为此，那不妨姑且唤我一声大人吧，我们将共同缅怀那位我们共同思念却再不得见的故人。等这一切结束，我必会重返此地，聆听你们的谏言。

我不在的日子里，若是你们担心有强敌侵扰，大可传信与我。我是爱普觅斯的拉尔夫，就住在那爱普觅斯的河畔，只要一看到你们的来信，我必将披星戴月赶来，为我的新子民们而战。不过我有一事相求，这城堡还要劳烦诸位了，请务必在我离开期间妥善打理，以免盗贼强寇的侵扰。至于那些流浪荒野的骑士、朝圣者们，又或者那些诚实的善民，便请他们进来一坐吧。子民们，这便是我想说的，还望你们让我们赶早上路，毕竟时间实在紧迫。”

听到这里，所有乡民（这回不仅是女士们，连男人们）都高兴地欢呼起来：“新主万岁！仁德流芳！”女士们纷纷涌向拉尔夫，有几个离得近的，要不是因为害怕，都恨不得想上前拥抱他，或是轻吻他的双手。她们站在拉尔夫面前，个个红着脸，而他也回望着她们，和善地笑着。

此刻，老者把手置于膝上说道：“大人，为何不下马去看看你的城堡呢？没有谁比你更具有这个权力了。荆棘城的神父们曾告诉我们，夫人并没有宗亲在世，如果非要想出一个的话，那便是太阳大道男爵了，不过你之前已经处决了他。不过就算你不动手，我们也会找他算这笔账，他杀了我们最爱的夫人！”

拉尔夫摇摇头说：“不，老人家，以及我的新子民们，请恕我不能这么做。我们一行必须即刻上路，因为前面还有更为急迫的事情在等待我们。”

“好吧，大人，”老人应道，“但是，请至少下马，在那美丽的橡树下避避这午日的高温吧。最好再与我们用上一餐，喝上一杯新沏的茶水，如此，哪怕你离开了我们，你的好运也会常留在此。”

此番话下来，拉尔夫实在不好拒绝。于是，他们一行人下了马，在那橡树下的草坪上坐了下来。此时，人群慢慢围了过来，大家挨着他们坐下，女人们则到拉尔夫一行的马匹那儿取来了食物。而这时，只见男人们早已与拉尔夫等人熟络地攀谈起来，乡民们不仅跟王子他们讲解了有关这片土地的风土人情，还谈及那些居于林中的人们、女精灵、侏儒和他们的树屋，以及子民们对他们的畏戒之心。此外，他们还提到后来有一位隐士也住进了那片森林的西北向。然而当拉尔夫问及那神秘人是否住在漫天河的浅滩时，乡民们则纷纷摇头表示不知，毕竟那森林就如同高墙一般，把丰饶城堡与外界隔绝了开来。

这时，智者和一位年轻人攀谈了起来，并告诉他该如何去四湾镇。这样一来，一旦事有必要，乡民们便可送信去爱普觅斯寻求援助。但是这青年却说送信一事几乎毫无可能，因为他们中间没人敢穿过那片树林。不过，若是情况必要，荆棘城的神父们也可替他们行事，毕竟他们都是上天的选民，熟知该如何面对那世间的险恶。

聊过以后，乡民们似乎都重拾勇气，个个心情开朗起来。现下看来，丰饶夫人的离世似乎也没有那么叫人难以承受了。慢慢地，美丽的少女们都三三两两地围在橡树旁，她们热切地盯着拉尔夫，似乎看着他都能让她们快乐似的。

众人说话间，女人们已取来了食物。放眼望去，只见那篮子里盛着面包、咸奶酪、蜂蜜、树莓、羊肉串、沙拉，以及各种蛋类食物。众乡民第一时间把食物端给了拉尔夫一行，然后才分给了自己。随后，大家便其乐融融地吃了饭，把那悲痛的消息抛在了脑后。其间，乡民们还端来了上等的烈酒和果园里榨出的苹果汁，为此众人纷纷举杯，共祝新城主福祚绵长、万事安康。

这场晚宴一直持续到日落西山，夕阳的余晖在众人身上洒下了斑驳的树影。宴会尾声处，拉尔夫站起身，招来了他的坐骑。其他的旅人看他如此，也都纷纷起身，走向已被牵来的骏马。而少女们呢，经过这热闹的宴会，一个个明显是壮了胆。她们爱慕地看着自己的殿下，全然不顾先前的害羞，纷纷朝王子那儿涌了过去，她们前前后后把他围住，亲吻着他的盔甲和双手。那爱恋之情早已战胜了恐惧，她们颤着步子，甚至央求着向他索吻。就连这样，拉尔夫都没有生气，他看着这些或索吻或羞涩的少女们，愉快地大笑着，他扶住少女们的肩膀，又或轻抬起她们的下巴，礼貌地亲吻了她们的面颊和双唇。这一举动不禁使得少女们芳心大动，方寸全无，以致就连王子走了之后，她们都魂不守舍，找不着回家的道路。这边，拉尔夫一行纷纷上马，因为四周围绕着相送的乡民，他们不得不缓慢地前进着。这些乡民们一直送到树林边，有的甚至送进了森林里才恋恋不舍地停下脚步。他们目送着拉尔夫一行疾驰向森林深处，渐渐失去踪影后才各自返回。

Chapter 17

遇见隐士

他们因为在欢迎仪式和宴席间逗留了太久，本来想着那晚就可以到达隐士的居所（那些人就是这么告诉他们的），但情况并非如此，离开丰饶平原又耗费了太长的时间，之后还没走多远，天色就已近黄昏，他们不得不停下，等待黎明的到来。尽力把大树下的栖息之所收拾得舒服之后，他们躺倒就入睡了。

太阳升起来时，拉尔夫醒了，朦胧间他看到一个人站在他面前，开始还以为是理查德或者智者；当他看清楚时，发现不是他们两个，而是一个陌生人。此人身穿一袭褐色衣袍，身体健硕，手里拿着一根大棍，腰间还佩着一把短剑。拉尔夫跳了起来，但此时还是没有完全清醒，他大叫："是谁？"那人大笑着说道："是的，你还是那个身手敏捷的小伙子，只是比之前更多了些武士气概，但也不该忘记老朋友啊。你怎么不跟我打招呼呢？"

“因为我不认识你，老兄。”拉尔夫说道。但是谈话间，他又仔细地看了看此人的脸，大喊道：“圣·尼古拉斯，这不是走绳索的罗杰吗？看看你，老兄，如果我没有记错，你过去总是黑布蒙面，如今怎么变成浑身是毛的山野村夫了？你在山野之中做什么？”罗杰回答：“他们没有告诉你丛林之中新来了一位隐士？”“说了。”拉尔夫回答。“我就是那个圣贤，”罗杰咧嘴笑道，“我也不是完全想变成这样。我来此并非为了祈祷斋戒，只是想离群索居，让我的灵魂得到安息。这都是因为夫人过世之后，一切都变了。”

他看看四周，乌苏拉正从地上坐起身，智者也在悠悠转醒，此刻只有理查德还抱着他的凤尾草床打鼾。于是他问道：“这些人都是谁，你们为何来到这荒野中？是的，小伙子，我看你已经有了另外一个女人，如果没有看错，她也是貌若天仙。但她的美貌并非独一无二，而我们的女神无人能及。”

接着他就沉默了，拉尔夫转向其他人，这时理查德也醒了，他说道：“此人就是他们说的隐士。”

罗杰说：“是的，我就是那个隐士，那个圣洁之人。我有一件事要向你们打听，也有件事想要告诉你们。你们最好跟我来，所有的人，到我林中的居所。事实上，那是间寒酸的房子，但终归还是有点吃的，我们可以在房间里平静地边说边听。上马吧，朋友们！”

说到这里，拉尔夫一行毫不迟疑，上马跟他一起出发，他们穿过丛林间的一条小路，大概走了一英里，来到一片草地上，草地间有涓涓溪水流淌而过；草地上有一座用树枝和茅草搭建而成的小房子，其中只有一室，布置得非常简陋。他带他们进来，让他们坐在凳子或是柴火扎成的捆堆上，随后他端来一些简单的食物，味道还算可口，有山野中的野味、炉火上烤的蛋糕，他还给他们倒上牛奶和酒。

他们对这场盛宴甚为满意，酒足饭饱之后，罗杰说："现在，我的大人，像吟游诗人经常做的那样，你已经预支了你的报酬。那么，作为回报，请告诉我自从我的女神去世后（真让人难过！），你所发生的所有事情吧。我必须要说，她可是因你而死。"

"'所有'这个词太大了，"拉尔夫说道，"但是我会告诉你一些情况。还有你要知道，我和那位古老睿智的女人，也是我的女神，都认为我是出于同宗的召唤，时间紧迫，才离开的。"

罗杰对乌苏拉怒目而视，嘴上却说："大人，我的殿下，不要再为这些事多费口舌。我觉得，无论你在我身上花去多少时间，我的故事和相关的解答会让你赢得双倍。你知道，你的故事会化解我的疑惑，所以不要再绕圈子。如果你们急着离开，请马上给我讲讲你的经历吧。"

拉尔夫笑了笑，没有再说其他的，只是讲了一些他遇到的事情，他在云梦乡和尤特堡的见闻，讲到如何被捕，怎样逃脱，以及后来与乌苏拉的林中相遇，如何寻到在座的这位智者，再讲到去往水井的一路艰辛以及于世界尽头发生的一切，最后说到了枯木战士之死。

他说完之后，罗杰说道："正是如此，如我先前所说，她第一次跟我提及你时，便让我把你带去见她，她先是让我把你带去四湾镇，接着又去丰饶城堡，我忘记了这其中的用意，但我曾忘记了它背后的含义。我对她说过，她把心思全都放在一个幸运的男人身上，而你会从她那里把她的幸运带走，变成自己的。但现在，一切已成过往，我只想问问你的愿望，我保证会帮你回到你的家乡，你会给你的子民们带来好运。”

拉尔夫问道：“第一件事，告诉我怎样才能毫无阻碍地通过四湾镇？”罗杰回答：“你从一个城门进，从另一个城门出，就不会遇到阻碍。”

拉尔夫问道：“在枯树谷我们会遇到麻烦吗？”

罗杰欲言又止道：“不，没什么麻烦。”

“途中海厄姆城的居民呢？修道院的兄弟会，还有院长会怎么样？”拉尔夫问道。

“我对他们知之甚少，”罗杰回答，“但我觉得他们会想让你做他们的将领，因为他们最近正处在战事当中，不过这取决于你自己的意愿。至于剩下的牧羊人领地，你将会顺利通过那里，毕竟那里的乡民崇尚和平。”

“是的，”拉尔夫问道，“四湾镇傲慢残暴的统治现在怎么样了，还有枯树谷热火朝天的战局现在变成什么样了？”

罗杰回答：“这可就说来话长了。当枯木军失去了他们的女王、他们的挚爱，也就是丰饶夫人时，因为过于伤痛，他们坐立不安，狂热躁动。于是有一次，他们中间不少人一冲动，就和四湾镇的士兵干了一架，于是情况急转直下。由此，一些人退回悬崖要塞当中，其他的人已偏离他们的初衷，继续往西行，在穿过凶境密林之后，他们再次受到教训，行事更加谨慎了。路途之中，他们听到一个消息，四湾镇的一个首领就在附近的一个山谷里休息，谷中还有大批囚徒、家畜，以及其他一些战利品：因为四湾镇人挑起了与戴穗族人的战争，杀死了那里大批的男丁，掳走了年轻女人和女孩儿。于是枯木军商议，痛击四湾镇的那些杂种给他们点颜色看看，这样也许他们因女王去世而伤痛的心会有所缓解。于是他们在白天埋伏了起来，当夜色降临、乌云遮月时，他们袭击了扎寨休息的四湾镇士兵，尽管对手人数远在他们之上，但正如之前的计划一样，他们轻而易举地就获胜了。四湾镇的很多士兵被杀死了，也有许多人逃走，回到了镇里，即便是在最坏的暴动当中也很少发生这样的情况，差不多大部分人都被杀死了。

“好了，现在让我们回到枯木军和他们的战利品上来。战利品还是颇为丰厚的，特别是女人们，她们大多数正值青春年少，并且容貌秀美，四湾镇的掠夺者们是按照年龄、力量和美貌挑选她们的。而枯树谷的男人们此时家里正缺女人，又因为女王的事伤透了心，于是他们对这些女人敞开心扉，与她们谈天说地，对她们宠爱有加。他们彬彬有礼且颇有男子气概，使得这些女人们觉得她们好像是身处天堂一般，为了取悦她们的情人也是不遗余力。结果是，这些枯木军给悬崖下的城堡和汉普顿人送信，告诉他们事情的经过，他们自己呢，来到戴穗者的土地，没有把这些女人当做囚徒，而是给这些女孩子自由之身。

“前往戴穗人领地的路程尚且遥远，路上，女孩们给她们新的男人讲了很多她们的土地上发生的事情，与四湾镇不愉快的战争，以及四湾镇的士兵如何折磨她们。其中还讲到，他们每次来，都会杀死所有的男性，甚至吃奶的孩子也不放过，但是却放过女人，即便是不带回去做囚徒的女人也会放过。

“‘因此，’这些可怜的女孩子说，‘我们的土地上已经没有什么男人了，我们这些女人，高的矮的都得下田，还要做各种活计，手工活之类，在其他地方，这些活儿都是男人干的。’事实上，她们看起来身体强壮，比一般女人都要身体灵活。于是这些拥军，半开玩笑，半是热心肠，让她们穿上四湾镇已被杀死的士兵的盔甲，拿起他们的武器，教她们怎么舞刀弄剑。这些女人看着她们新情人的英勇面貌，不禁重拾信心，迫不及待并且迅速地学会了这些新本领。然而好景不长。四湾镇的溃兵逃回去以后，他们的头领立即派了另一支部队来追击枯木军还有他们的战利品；因为他们得到消息，那些佣军们取胜后并没有回汉普顿，而是去了戴穗者的土地。

“于是，在一个夏天的傍晚，还有三小时天才能完全黑下来，四湾镇的头领追了上来。他们本来以为可以轻而易举地取胜，因为他们知道佣军的人数很少，但是，瞧！山坡上到处都是刀光剑影，头盔在太阳的照耀下熠熠生辉。让他们羞耻的是，太阳落山前，他们再次溃不成军，四处逃窜，这次带回四湾镇的消息是，他们的敌人大多数是戴穗女人。但这次能活着回去的人少之又少，因为这些获得自由的囚徒在追击中热情高涨，为了加快速度，她们甚至扔掉了盾牌和锁子甲，而且为了死前能多杀死一两个暴君的士兵，她们完全将生死置之度外。

“这次四湾镇的部队是被自己的武器砍伤的，但是事情并没有就此结束。当这些取得胜利的男女回到戴穗者的家乡，一开始男人们全都被吓跑了，以为四湾镇的人又来了；特别是有那么多人穿着四湾镇士兵的盔甲，手里拿着他们的武器。但当他们发现了真相后，跟你想的一样，他们欣喜若狂。这些男女们纷纷冲上前去，穿上戎装，恳求他们的恩人教给他们作战的诀窍，他们意识到有一点不容忽略，那就是他们的身体要么饮血沙场，要么从此自由。所以，这些佣军们成了他们战场上的医生和老师，一个伟大的联盟就此结成；他们还派信使前往汉普顿，告诉他们整个事情的经过，并恳求是否可以再派些人过来。可是，四湾镇的人却咽不下这口气。他们又派了一支人马前来，虽然人数不多，但是装备精良，又久经沙场。佣军们早就暗中得到消息，他们要和四湾镇最为精锐的部队作战。他们也是用同样的方式来备战；他们选择最为强壮的男女战士，埋伏在一个易守难攻之地，把他们的敌人困在那里；但是那支队伍并未就此沦陷，而是成功突围，这是一支无坚不摧、冷酷无情、作战经验丰富的队伍。

“这场战争非常惨烈，持续了很长时间。四湾镇的人攻势凶猛，却并不刚愎自用；而戴穗族人觉得，如果他们溃败，等待他们的将是生不如死。到了最后，双方都非常疲惫，然而谁都不肯后退。这时，枯树谷的救援突然来了，这是一支英勇的骑队，打仗对他们来说不过是场游戏。四湾镇的人觉得现在撤退，退出战争是最好的选择。除了新来的骑队，守卫们没有追击，因为他们太过疲惫了，另外，他们的首领也无意让这些新兵离开有战略优势的地盘，以防四湾镇的士兵再次杀回，使他们落入险境。

“人们本以为第二天还有恶战，但敌人并未前来，因为四湾镇的首领发现他们得不到什么好处，便退回自己的地盘。枯树谷的骑队也没有浪费这次机会，他们在后面奋力追击，杀死了落在后边或者脱离大部队的士兵。

“四湾镇的人走了，这些戴穗族人开始庆祝他们大获全胜、重获新生。他们中的一位老者曾对我谈及此事，说之前他们的境况堪比四湾镇的奴隶，对敌人不敢有一点点反抗，男人们不敢去爱，女人们尽管美貌如花，但是却冷漠无情。然而，现在戴穗者在自己的土地上，境况大为改观，男人女人们一有条件就兴高采烈地打扮自己，在绿地上载歌载舞，夏夜里柳荫下成双成对。简短地说，这片土地之上，爱神格外的忙碌，它让人们的眼眸变得明媚，红唇甜蜜，胸部曲线优美，手臂修长，玉足纤纤。于是每一分钟空气中都充满了诱惑，战争与危险越是近在眼前，男人和女人越是纵享鱼水之欢。

“这样，在一段时间，戴穗族人满怀希望，他们恳请枯树谷的人带领他们对抗四湾镇。佣军们也同意了，因为他们很清楚：汉普顿现在驻扎的是他们的人，四湾镇的人可能会去攻击那里；即便他们不能占领那里，也会封锁所有的道路，让他们很难汇合。于是，枯木军们明智地接受了他们的请求，义不容辞地带上了最好的士兵队伍出发，让女人们坚守自己的土地，因此他们的队伍并算不上庞大。他们带领着队伍神不知鬼不觉地来到了四湾镇的近前。虽然没人会想到他们可以占领像四湾镇这样坚固的堡垒，但是事情就这样发生了。四湾镇的居民们饱受摧残，大声疾呼，他们要了结这些被诅咒的人，不再和那些贼人做朋友；于是大批镇民出了城门，但是秩序却比预计的混乱许多。正如我们耳熟能详的那样，两军甚至还没有对垒，四湾镇勇士们的骁勇善战就已经消失殆尽，他们开始四散奔逃，以致城门都无法关闭，他们的敌军和他们一同进城后，开始不停地厮杀。于是，一小时的工夫，四湾镇的骄傲和荣耀便就地瓦解。大批四湾镇人遭到了屠杀，戴穗者满怀悲愤地前来复仇，枯木军们也不会对他们的敌人心生怜悯，在战场上心慈手软。最后杀戮终于停止，戴穗男人们开始在城里一间房子接一间房子地寻找他们的女人，这些人已经沦为四湾镇的奴隶。接下来是无数个可怜的女人与她们同宗的男人们喜悦相逢的情形：她们忘却了以往被奴役、被嘲笑、做苦工、穿囚衣①的日子，之后的一些日子里，她们会佩戴花环，来到那些枯树谷的绿衣勇士前，庆祝着自己重获自由，并为他们大摆宴席。

“至于四湾镇，当战争与追逐已然结束，杀戮终于得以停止，一些高官被割了头。但是无论枯木军还是戴穗者都认为，那些残忍无情的镇民们再也不能生活在四湾镇；于是给了他们足够长的时间收拾金银细软作为路上的盘缠后，那些人便被赶出了城门，其中有穷人，有富人，男女老少皆有，也不乏孩子。这些被驱逐的人们面带骄傲，神情坚毅，仿佛重拾了勇气。现

① 古代西方世界把带有条纹的囚服称为“魔鬼的衣服”，意味着下贱和邪恶。（译注）

在我们可能会经常听到他们的消息；尽管他们被赶出家门时只有少量的武器，没有锁子甲，也没有盾牌和头盔，然而他们久经战场，心高气傲，总会有办法再次弄到武器；即便是用那些没有枪头的棍棒、灌木丛中的柴棍，他们依然给那些所经之地带来了灾难。是的，英勇的武士，在我看来，到了人们召唤你来统领他们，追杀这些恶狼的时刻，如果你来做统领，让我来告诉你他们的所作所为，要是你知道这些，便不会再对他们手下留情。”

“那么这时，”拉尔夫问道，“枯木军怎么样了？因为我能看出你为他们深为悲伤。”

罗杰静默片刻后说道：“我感到悲伤是因为汉普顿再也不是一个坚固的堡垒，只有两三个男人和一群女人住在崖中的居所里。在世上，这一切都已完结。神派我们寻找没有尽头的世界！”

“那么发生了什么，”拉尔说，“他们遭遇了更强大的暴动，比那次的更猛烈吗？”“没有，”罗杰回答，“并非如此。”“但是人都去哪了？”拉尔夫问道。“四散而去，”罗杰回答，“枯木军中的一些人不想离开他们追求的那些戴穗族女人，更多的人，带着他们的爱人住在四湾镇，然而许多戴穗族男人和原来四湾镇的女奴结婚生子了。四湾镇被占领时，这样的女人有两千多人，另外还有许多女人和她们的男人从自己的土地来到这里。”

“如今的四湾镇居民混杂而居，一部分是原来的女奴隶，一部分是从戴穗族的土地上新来的男人女人，一部分是枯木军，他们如今娶了戴穗族女人，还有从其他地方来到这里的商人和手工匠人，因为他们都听说这里乡民富饶，还有许多尚未婚配的女子。”

“是的，”拉尔夫回答，“这样不好吗？”罗杰说，“在我看来‘枯木军’已经名存实亡，尽管那些活下来的人曾属于那群人。”“不，”拉尔夫说，“他们为何不在四湾镇建立一个新的守卫团，而且，最好是一个和平团？因为他们已经获胜。”

“是的，”罗杰慢慢地说道，“这倒是真的，情况也的确如此。在四湾镇，他们组成了一个强大的兵团，有自己的首领，一个被和平民众崇拜的兵团；另外，他们并没有对那些无助的人残酷无情或者折磨他们，或是终日寻欢作乐以防以后没有乐趣可言，他们现在在四湾镇对民众怜悯为怀，这样敌人也不会像他们那样轻易取胜。”

“什么，老天！”拉尔夫说，“这样再好不过，和我们一起走，也许这些之前的佣军会关注一下爱普觅斯的沦陷。我要说的是，和我们一起走，把我和我的幸运之事讲给住在四湾镇的你的同伴，也许你告诉他们我的故事，他们中有些人愿意暂时离开家乡，帮一帮水井的朋友，他正需要你们的帮助。”

罗杰没有说话，像是在仔细考虑这件事，这时，理查德和智者两人也都你一言我一语，劝说他接受建议。

最终他说：“好吧，那就冒这一次险。但我需要说明，我无意就此放弃我的隐居和圣洁。你来一下，云梦乡的圣贤之人，我来告诉你原因。”“是的，”拉尔夫大笑道，“他告诉你后，不用再转述给我。我非常肯定他跟我们一起出发是正确的选择，而且，他的理由很可能根本站不住脚。”

罗杰斜视了他片刻，然后没有关门就和智者走了出来，到了僻静之处，他对圣人说：“听我说，他一开口，我就很乐意与他同行，只是跟着他的那个女人让我不快。她让我无时无刻不想起我的女神；我恨她，她的美貌，还有她身体的诱惑。在我看来，就是她带走了我的女神的好运，如果不是因为她，我的女神可能还在人世。”

智者说道:“大人说的不错，你的理由实在是荒谬！什么！你这么了解丰饶夫人，难道不知道是她在自己离开拉尔夫后，让乌苏拉成为拉尔夫的枕边人，无论她死了还是活在人世，她也都是水井的朋友，如此他的一生之中才不缺少同伴？你会说出这些，正是因为你并不了解我们的夫人。她对他的爱是发自内心的。”

罗杰垂头静了半晌，过了一会儿他又接道：“好吧，智者，我说过会与你们一同上路，至少这段时间我不会再对此事多言，之后的事情，便顺其自然吧。现在，我们最好立刻上马；马用来驮肉和吟游诗人，我们已经耗费了太长时间，现在已近午时。告诉你的主人，我准备好了。再见了和平，欢迎战争和怨恨的来临！”

智者走进房间，然后和其他人一同出来，他们骑上马，罗杰步行走在前面，带他们顺畅地穿过丛林。那一夜他们在漫天河的另一侧度过。

Chapter 18

新四湾镇

这一路上相安无事，拉尔夫一行从荆棘林中穿出，终于来到了通往四湾镇的田间。这里人们的生活看上去颇为富足，农夫们如同上次来时一样，在田间辛勤地劳作着。他们大多数并非四湾镇的原住民，而是战争过后定居于此的外乡人。这里一到晚上，男女老少便会纷纷走出家门，他们在城镇里四处散心，尽情享受这初夏的美妙时刻。如今的他们无忧无虑，自由自在，好不快活。这里再没有刀剑相迫，为此罗杰有些沮丧。理查德说道："我认为，现在的四湾镇居民盲目地相信这表面的风平浪静，要是我们将边境的威胁据实以告，想必这里定会再掀风浪。"

说罢，他们又骑马走近了些。拉尔夫指着城墙上的那些闪着光的盔甲和武器，示意身后的同伴们向那看去，众人顺着他所指的方向，发现了南门两边的高塔上都有站着守卫。这时，罗杰说道：“哎，如今的四湾镇可不再那么容易就可攻下。要是有挑衅者在城外滋事被屠，也算不得什么大事了。”

正因如此，这里的乡民绝不会让他们这么堂而皇之地接近城门，他们三三两两地聚集在拉尔夫一行周围指指点点，好奇地瞅着这些新面孔。他们看得出这些赶路人个个行为正派，若是他们横加阻拦，倒像是折辱了他们一般，于是好一会儿都没人上前阻止他们前进。不过话虽如此，拉尔夫一行却在城门口被一个全副武装的魁梧男子拦下了，那男子问道：“朋友们，你们来晚了。你们是何人？”拉尔夫回道：“我们不会生事，只是想借道去爱普觅斯。”“这样？”男子说道，“这里到爱普觅斯可不算太平，传言最近有外侵者闯入了海厄姆城，没准这战火还会蔓延。如果你们想去光之花旅店留宿，你们得有可以留宿到明早的通关文牒。”

听到这里，拉尔夫不禁俯身对罗杰悄声交代了几句。罗杰点点头，取下了自己的斗篷兜帽，他上前对那全副武装的男人问道：“斯蒂芬·阿·赫斯特，有空跟老朋友叙叙旧吗？”“有何不可呢，罗杰，”那男人应道，“真的是你吗？我以为你早已抛下我们，躲于那荒野之中了。”

“确实如此啊，伙计，”罗杰回道，“只是这时局变幻，如今的我成了这位仁慈殿下的同伴。我可以告诉你，斯蒂芬。你瞧，这是爱普觅斯的王储，想必你一定有所耳闻。你何不邀请我们进到你的塔室里呢？我会把你不曾听闻的消息和盘托出。”

听罢，斯蒂芬看向拉尔夫，并朝他鞠以深深一躬，他说道：

“尊敬的殿下，这里早就流传着关于你的传闻，即便有的惊奇无比，却并无诟病你的蜚语。今天我有幸一窥你的真容，更是让我确信你是个坚毅的勇士，是个英明的君主。倘若我能更深入地了解你，便是我天大的荣幸。所以，如果你也愿意，便请和其余旅伴们一同进到光之花旅店吧，只留下这位全副武装的老友，我想再与他多聊一些关于殿下你的想法。看得出你对我们有所求，可是一看到你，我便毫不怀疑，你的要求绝不是不情之请。不过，只有当我们了解殿下之所需，方能更好地为你效忠啊。”

“的确如此，拉尔夫殿下，”罗杰说道，“把一切都交予我吧，我最迟明日与你汇合，向你汇报所有事态的动向。我觉着殿下一定跟从前一样，迫不及待地要回到自己的家乡了吧。”

听到这里，拉尔夫点点头。谢过斯蒂芬之后，他便与众人一道驾马朝光之花旅店奔驰而去。那儿的夕阳刚刚落下，街上摊铺林立，人声鼎沸，眼前的亭台楼宇皆是窗明几净，比之从前也是华丽不少。而那街上闲逛的子民们看起来都优哉游哉，个个衣着光鲜，幸福满足。那些他之前看到的美丽女奴们，虽没有穿金戴银，但也大都看上去喜气洋洋。这些人信步走入广场，远眺着面前那一幢幢建于主教堂之上的宫墙殿宇，看着它们高墙森森、庄严巍峨的身影，众人都不禁发出啧啧称赞。人们在街道上自由地嬉戏，虽然他们中不乏全副武装的武士，但是最显目的还要算是枯木标志了。

至此，拉尔夫一行终于到了光之花旅店，在那儿他们受到了旅店的热情欢迎，那感觉就像是回到了自己睽违数年的家乡。

当地人纷纷惊叹于看到如此和蔼的圣贤老者，以及如理查德一般孔武有力、身材修长的骑士，就更别提那颇合众人眼缘的拉尔夫和乌苏拉伉俪了。乡民们对他们的夸赞声不绝于耳，仿佛说上三天三夜都不够似的。王子一行吃完饭，稍作休息之后，便有两名女仆走近，询问是否可以与他们说会儿话。听到这里，拉尔夫不禁大笑出声，连忙让她们坐于身侧，还把精致的餐点推至少女们面前。那些女孩们不禁都红着脸接过，她们个个娇俏可人、年纪尚小，而那拉尔夫王子也俊俏非常、待人和善，难免惹得少女神魂予授、芳心大动。不过，她们倒也没有像乌苏拉和智者那样说上太多话，毕竟拉尔夫大多数时间皆是沉默不语，很少开口。沉默时，他一直在构思未来几天的行程，对爱普觅斯的事情几乎可以预测一半。不过，好在少女们最后终于找到了话题的突破口，她们说起了有关水井的朋友就在四湾镇的传闻，她们其中一人说道："真高兴王子你们能够饮下那井水，最终凯旋。大家都万分欣喜能有幸与王子殿下同居一城，要知道我们也是刚刚获得了新生，几乎和你一样快乐。我们其中的一些人也是从难以想象的苦难中走出来的，我便是他们其中之一；还有一些则是从终日的苦役中走出来的，正如我这位妹妹一样。"该女子笑着说道，"所以，真的，除非欢畅到这快乐的最后一刻，我们又有谁会去寻找那世界尽头的水井呢？"

乌苏拉对她笑了笑，这时智者说道："对年轻貌美的女士说这些其实并无益处。但你要知道，若是有一天原镇民们重返此地，夺回城郭，那你们彼时又当如何自处？"那曾沦为奴隶的女仆闻言不禁变了脸色，而那另一个却回道："若是原镇民们重回这里，他们只会发现自己早已被驱逐离开，而那城墙之上的也早已不是旧人。聪明的老人家啊，你可能认为我软弱无力，毫无用处。可就算是我这般羸弱无力的臂膀，也曾上阵杀敌。若是剿灭仇敌也是一种罪孽，那就算被施以绞刑也是值得的。”“是的，是的，”理查德笑着应道，“你可比这镇上的男人们都要勇敢。你能做到的，看着吧，总有一天你定能手刃仇敌。”

智者也附和道：“确实，这位少女，如若你此心不移，与男人们同仇敌忾，那么原镇民们便不足为惧。事实上，只要你一直抱有此番信念，用不了多久，定将获得战争的胜利。”

此时的拉尔夫像是突然从魂梦中惊醒，他起身说道：“你是对的，智者。在我看来，这场战争的胜利者只属于我们。”说罢，他大步走出大厅，那两位少女眼神羞涩，坐着瞧着王子的一举一动，再看她们那脸颊，仿佛都被玫瑰吻红了一般。

没过一会儿，拉尔夫又回到了座位上。他坐下后便开始和少女们攀谈起来，他问了问她们有关这小镇和集市的兴衰。少女们和两三个镇民、商人都一一回答了他的问题，并向王子描述了这片土地的美丽，以及它们那辉煌古老的过去。拉尔夫全程听得津津有味，众人相谈甚欢，言笑晏晏至深夜，直到最后众人皆感筋疲力尽之时，才彼此告别，各自回房睡下。

Chapter 19

悬崖要塞

清晨时分，拉尔夫起身来到旅店大堂，就在这时，外边的门开了，理查德还有罗杰走了进来（前者一大早就开始活动）。只见罗杰全身武装整齐，身披枯木大氅，大喊道："大人，现在你最好穿戴整齐，你将是一队人马的首领了。""好的，罗杰，"拉尔夫回答，"一切是否进展顺利？""很好，"理查德回答，"你的队伍人数不多，但每个人都不会退缩，他们都是枯木军的一员。""是这样的，"罗杰说道，"是斯蒂芬·阿·赫斯特带我回到老朋友那里，我们一起找到四湾镇的统领，他是枯树谷的人，最近做了总领统帅，我告知他你有个请求。然而他和我们所有人一样，听说过你在遇到丰饶夫人的那片森林里的搏斗，悲恸之余坚持不让我们任何人追随于你。但后来有变，我的大人！先别忙着感谢，我会告诉你整个故事。那新首领因为住在城中，也学会了商人的那一套，要和你做一笔交易。""好，"

拉尔夫笑着说，“我猜到了交易的一部分，你说吧。”

罗杰说：“我不喜欢这个交易，不是因为你，而是我自己。交易是，我们所有的人，包括要追随你的每一个人今天一同前往悬崖要塞，在那，你的女人要坐在我们的女王之前的王位上，你拿她的头颅起誓，任何时候，他请你来援助四湾镇，或者戴穗者的族人，你都要披挂上阵，带着你的人马抄近路前来。若你肯立下誓言，我们枯木军团哪怕陪你上刀山、下火海也在所不惜。你觉得如何——你很幸运，枯树谷的统帅最近变得英明了？我想告诉你，我不希望这样，我想让你拒绝。对我来说，看到另外一个女人坐在我们女王的位置，实在令人难以接受。是的，一看到她坐在那里，便让我想起正是那个女人偷走了女王的幸运。”

拉尔夫说：“统帅的提议在我看来既善意又侠义，我乐意按照他说的立誓；即便没有誓言，任何时候他召唤我，我也不会让他失望。至于你，罗杰，如果愿意，你和我们同行，你会是队伍的一员，也会与我们一起回到爱普觅斯宫。”

这时罗杰神情自若，未发一言。他们说话之时听到重重的马蹄声，还有武器的撞击声，透过开着的门，可以看到有三个武装的人骑马来到屋前。拉尔夫出门迎接他们。他们全都披挂整齐，盔甲闪闪发亮，斗篷都带有枯木的标志，三个人身材高大，气宇轩昂。他们称拉尔夫为统帅，他向他们都打了招呼，请他们进来喝上一杯。于是他们照做，但还没下马，又来了三个，接下来又来了六个，这样，一批又一批人到来，直到旅店里到处都闪着盔甲的光芒，四处都是武器的撞击声。伙计们在外边牵着马，看到这些身披武装的壮士们甚是欢喜。这时乌苏拉一身戎装地从房间里下来，他们看到她一片欢呼，房梁上都发出嗡嗡声。但她大笑，见到他们甚为开怀，给他们倒上美酒，可是比起美酒，他们倒是更乐意看到她的倩影。

这时，罗杰走过来告诉拉尔夫，人都来了。拉尔夫此时也穿戴上盔甲，两个女仆牵来他的马，他们一行飞身上马，在广场集合。罗杰和斯蒂芬·阿·赫斯特整队，二人被选定为队长，协助拉尔夫和理查德——他们都认识理查德，至少也是听说过。这时罗杰从口袋里拿出一张花名册读了起来，没有落下一个人，除去罗杰和其他行者，共计五十五人，再没有什么数字更适合这支队伍了。理查德轻声对拉尔夫说："如果再多些人，我就不在乎会在爱普觅斯遇上什么样的敌人。说实话，我的大人，现在他们进入我们的绿地，就如同来到了血色地狱一般。""不用害怕，理查德，"拉尔夫说，"我们会召集到足够的人马。"

随后他们骑马离开广场，穿过街道，到了北门，许多人在街上看着他们，在他们经过之时，男女老少都纷纷送上了祝福。城里散布着消息，说是一个水井的朋友，一位亲切的大人要从敌军手中夺回自己的家乡。

他们在四湾镇的无主地上一阵小踏步奔跑后便离开了林中大道，之前，拉尔夫和罗杰就是在那儿跟随一行骑手纵马驰骋至晌午。当他们来到一片浓密的灌木丛，那里只有一条逼仄蜿蜒的小路，无法让两匹马并肩而行。罗杰说道："现在，假如我们是那些原来的四湾镇人，枯木军仍然驻扎在悬崖要塞，我们就会知道什么是刀山火海了；如果死者可以复生迎敌的话，我们巴不得有一支这样的队伍做伴。不过最后他们学会了这一招，倒是常常拿着指南针打我们的灰雁密林的主意。”

“原来如此，”拉尔夫说道，“但是现在如有埋伏会如何？四湾镇的人也许比你想的要聪明，他们学到的东西也许超出了你的预计。”

“不会的，”罗杰说，“我让十名骑兵走在我们左手边的丛林小路上，这样确保万无一失，但事实上我估计没有埋伏。一个月后也许会发生这样的事情，但至少现在不会。另外，告诉我，勇士，你觉得从哪里能再召集到不怕赤膊战的人——理查德告诉我已有确切消息。”

拉尔夫说：“如果希望不落空，我指望能从牧羊人国度那里召集些勇士。”“是的，”罗杰说，“但是我要告诉你，他们有时对枯树谷并不友好。”拉尔夫说：“我觉得他们会把我当作朋友。”“那样就好，”罗杰说道，“他们很善于作战。”

他们边走边说，但罗杰从不关注乌苏拉。他的一言一行就好像她根本就不存在，甚至当拉尔夫转身跟她说话，帮她穿过小路时也是这样。

最终，灌木丛变得越来越稀疏，他们骑出小山谷，也可以说是壕沟的地方，来到了光秃秃的山脊之上。他们往下俯瞰到一片美丽的绿色平原，中间耸立着一堆巨大的灰色岩石，如同海上的一座海岬。在那海岬之上，一座巨大城堡的白色城墙攀岩而上，直至顶端，其顶部是一座圆形巨塔。山脚下坐落着一个小村落，茅草屋顶的白色小房子散落在平原的有利位置。一行人在山脊之上拉住缰绳，枯木军们看到之前的堡垒不禁大声呐喊。罗杰转向拉尔夫，问道：“勇士，你觉得悬崖要塞如何？”理查德插进话来：“在我看来，我的朋友罗杰，我觉得你们好像没有从战争中学到任何东西，把一座坚固的城堡留在这里，无人把守。傻瓜才会这样做。”“不，不，”罗杰说，“我们并不急于行事，我们现在的主要任务是统治与戴穗族杂居者还有其他住在四湾镇的人。”

这时拉尔夫说：“那你怎么认为我们要在爱普觅斯迎战的那些人，就是四湾镇的人？你有没有听说他们是否已经在某个不幸的族里找到了安身之所，或者还在游荡——也许他们觉得爱普觅斯不错？”

迈克尔·阿·赫斯特说：“你们离开时，大人，我们听说有一群强贼骑手带了指南针，穿上盔甲，来到了无主密林的北部。和所有的贼寇一样，他们也爱森林。”

罗杰大笑：“是的，我们是贼寇时，亦如此，但我们现在已经变成了领主和绅士。至于你的消息，我不是太相信，因为同样有人说他们在路上袭击了海厄姆城，我们都知道这不可能是真的；尽管海厄姆的修道院现在也有战事，但是我们都知道敌人是西土公爵。”

“此话不假，”智者说道，“但是有没有可能四湾镇的人开始为他们效力？”“是的，说实话，”罗杰说，“我却不这么认为，或者说我们之前非常确定。”

谈话间他们下了马，好让坐骑喘口气，乌苏拉和拉尔夫一边走向不远处的草地，一边说道：“亲爱的，我今天有点害怕。”

“亲爱的，”他说，“你害怕什么？”她说：“对我来说，再次进入那个阴冷的城堡，坐在那个椅子上很是艰难，我之前就是坐在那里，被一个邪恶的女巫恫吓，她的头发就像母熊身上的灰色鬃毛。”

他极力地安慰她，说道：“但作为水井的朋友你也许能克服这些情绪，而且这个宫殿较之之前已经大不相同。”

她环顾四周的勇士，见他们或卧在草地之上，或者在马儿旁边游荡；这时她不禁笑了起来，神情也大为轻松，她红着脸，低着头说道：“是的，这倒是真的。那日大厅里没有几个人，只有几个面目可憎的垂垂老者。是一群女人把我从村子里抓走，带到城堡里，在那里折磨我，然后关进牢里；而这些呢，全都是好人，胸怀坦荡，意志自由。但是，噢，我跳动的心啊，瞧那些可怕的高高堆起的岩石，还有岩石中弯弯曲曲的城墙；那高塔亦是如此的巍峨，最让人恐惧的还是塔顶！世界上再也没有比这更可怕的了。”

他吻了她，愉快地大笑道：“亲爱的，这次跟你一块进入大厅的会是另外一群人，还有，你不会一人留在那里，所有的枯木军都会守护你，理查德、智者也会远远看着你，你觉得如何？”

她转向他，吻着轻抚着他，接着转身归队，这时他们已经聚集起来，在山脊上整好队伍。

于是他们上马，来到村子里，村里的男人女人都站在那看着他们，在他们经过时只是谦卑地向他们致敬。这时他们抵达了城堡的外墙。如果说这个堡垒从山脊上来看已是可怕，如今它的上端隐匿在灰色的巨岩之中，嗡嗡之声又不绝于耳，更是恐惧十倍。尽管此时艳阳高照，他们又是许多人结伴而行，但拉尔夫仍感觉到恐怖悄悄地爬上全身；但当乌苏拉回头焦灼地看着他时，他回以微笑。他们在城郭上跳下马来，往上走已经极为陡峭，不再适合骑行；拾阶而上时，即便是那些佣军们也因敬畏这座堡垒，收起了往日的嬉笑，一个个肃穆起来。拉尔夫拉着乌苏拉的手，她悄悄走近他，轻声说道："是的，就是在这里，她们撵我上去，那群女人，对我推推搡搡，拳打脚踢，撕烂我的衣衫，但她们中一个聪明点的人说：'不，不要撕扯她的衣服，带到古老的女王那里，如果她是个奸细，也许从她的衣服可以判断她来自哪里，要到哪里去。'于是，我才得以喘息片刻。现在我很好奇我们这次来到那里会有什么发现。对于我来说，有点像一个人从死寂的深夜醒来，周围一片静寂，月光皎洁，然后在房间与大厅间来回踱步，就像一个人身着睡衣，就在自己的家里，却十分恐惧将有什么恐怖的事情发生。"

她说话时脸色更加苍白。拉尔夫安慰着她，脸上挤出些笑容，但是心中也是惶惶不安。

他们就这样往上走啊走，直到来到一块平坦之地，那里建了主厅还有几间侧厅，他们在门口停下来喘了口气。大门不算宏伟，甚至开得很低。乌苏拉紧紧靠着拉尔夫，浑身瑟瑟发抖，但是拉尔夫在她耳边低语："勇敢点，亲爱的，不然那些人，特别是罗杰，更觉得你糟糕。还有，你是水井的朋友，这里没有什么能伤害得了你！跟死亡沙漠的危险以及尤特堡的恶魔城主和奴隶相比，这儿不算什么。""是的，"她说，"但那时我对你的爱远不如如今这么深厚。噢，朋友，我已经变成一个柔弱怯懦的女子，除了爱你之外一无所有，因爱你而爱上生活，我那日的遭遇你并非全都了解。”

但拉尔夫转身，用兴奋的声音大声喊道：“我们进去吧，朋友们！你们看，我要把枯木军带回他们自己的大厅和宫殿上。”这时，他推开门，门没有上锁，他大步来到大厅之上，手里拉着乌苏拉，所有人都跟了进来，盔甲的霍霍声，在这个巨大的厅里回荡。厅很长，但远不及它的宽度，顶部又极高，在这昏暗的光线中，拱顶之上轻雾弥漫，模糊不清。大厅里空无一人，墙壁上空荡荡，没有任何挂件，地上也没有桌椅板凳，除却高台上有一张巨大的石桌，桌旁有一把高高的石椅。这个地方看起来像是里面的人由于恶贯满盈，在一小时之内全部都死光光了。

他们都进来之后，静默了片刻。这时，罗杰捅捅拉尔夫，压低声音说道：“这个女人没有缘由就害怕了，要不是因为要起誓，我们最好把她留在村子里，我担心她战战兢兢、魂飞魄散，会给我们的老家带来厄运。相反，之前我们的女王初次来到这里，是我们的公爵在林子里发现了她，那时她被男爵（后来被你杀死的那个男爵）从太阳大道驱逐出境，当时的情形与现在大不相同。公爵用他那猩红色的骑士斗篷包着她来到这里，把她带到高台之上；但她一站在高台上，转过身，斗篷落在地上，她赤足站在那里，身上穿着被驱逐出来时的衣着，张开双臂，大声喊道（那声音如同五月莺啼般悦耳）：‘上帝保佑这座城堡，它属于英勇无畏的勇士，它属于这些不幸的人们。’”

这时乌苏拉的声音开始变得坚定，脸颊上亦开始有了血色，拉尔夫一旁看着，好奇他们之间的对话。她说道："罗杰，在我看来，你一点都不喜欢我，就算我让你多喜欢我一点，也恐怕会违背你的女神——此宫女王的意愿。不过告诉我，罗杰，这悬崖上另外一头可怕的母熊去哪里了？就是她坐在那里的石椅上，对我大声吼叫讥讽，让人折磨我，又把我拽到监狱，就是在那里你们的女王救了我。"

"夫人，"罗杰说道，"你看到她之后不久她就死了。那日我们听闻夫人殒命的消息时，心中十分悲恸，不禁想起往日的那些宿敌。因此我们袭击了你口中的那位'母熊'还有和她同伙的男男女女，他们中的一些人被我们杀死了，一些人被撵了出去。至于'母熊'，我就在离你不足三尺远的位置取了她的性命。有谣言说她的亡魂还在这里游荡，也有可能；但是在夏日的正午，你不必担心会撞上她。"

拉尔夫冷冷说道："罗杰，结束吟游诗人的故事吧。时间紧迫，这就带我到起誓的地方。"

他话音刚落，罗杰便大踏步来到高台之上，他快步来到高高的石椅之后，从那里拿出一个巨大的号角，放在嘴边，大声地吹了三次，如此空荡、巨大的厅里到处都是它的回音。理查德听到动静，宝剑不禁拉出一半；但是智者把手放在剑柄上，说道："不必如此，不必动刀动枪。"乌苏拉看起来像是受了惊，但不再颤抖。拉尔夫则是面不改色，枯木军们对此则是全在意料之中，毫无诧异。这时罗杰在高台之上喊道："号角之声是枯树谷的人为紧急之事聚集的信号。过来这里，外族人，还有你们这些追随者们，起誓之后，我们就要按照外族统领的要求行事了。”

这时，拉尔夫又拉着乌苏拉的手，骄傲又平静地穿过大厅，枯木军则紧紧跟随在理查德和智者之后。拉尔夫和乌苏拉来到高台，他扶乌苏拉坐上高高的石椅，即便是在昏暗的大厅，她看起来也像是一幅精美绝伦的画像。她这一日打扮得甚为得体，身穿一袭花纹刺绣的绿色长裙，绿色斗篷上缀有精美绝伦的金丝刺绣，长发及肩，头戴光之花旅店的女人们所赠的玫瑰花冠。她坐在那里，美得不可方物。这时，她脸上的烦恼、恐惧都已褪去，看起来如同初夏时光。枯木军们看着她也是颇为惊奇，他们纷纷交头接耳，小声议论着这一幕就像是昔日女王的回归。只有罗杰，此时回到队伍当中，低头看着地上，小声嘀咕着。

这时，拉尔夫拔出宝剑，放在石桌之上，他站在乌苏拉身边，说道：“枯木勇士们，我对着放在面前的爱普觅斯之剑，对着世上我最爱之人的头颅起誓（也是最值得爱的人）。我无论何时何地，无论战争与和平，高兴或悲哀，只要听到枯木军的召集，我必将不遗余力，召集我的人马，披星戴月前来相助。这样发誓可以吗，勇士们？”

斯蒂芬·阿·赫斯特说：“此誓言确实如同骑士之誓，让我们也起誓吧。”

“不，不，”拉尔夫说，“我无心与你们讨价还价，一切自会证明，我并不担心你们不勇敢啊。”

斯蒂芬·阿·赫斯特说：“没错，大人，但是有人要我们也要对你发誓，还请你把剑递给我。”

于是，拉尔夫越过石桌把他的宝剑递给斯蒂芬。斯蒂芬把宝剑拿在手里，吻了剑身和剑柄。接着他提高声音，大声说：“对着剑身和剑柄，我们发誓永远追随爱普觅斯的拉尔夫大人，按照他的吩咐行事。天神助我！”

如此这般，他把剑递给下一个人，每个人都像他一样吻了剑。

但拉尔夫说：“勇士们，对于你们的誓言我不胜感激，但是借用你们一年并非我意，我估计踏上国土三日之内必将拯救我的宗亲、国民于水火。”

斯蒂芬对着他友善地笑笑，点点头，说道：“那样甚好，还有一件事我要告诉你。我们的统领，是的，以及我们所有人下定决心要通过爱普觅斯的战争来试你一试，现在我们知道，你的确已经成为水井的朋友。如果你确实如我们所认为的那样，我们愿意把悬崖要塞拱手相送，送给你或者你的后人。因为我们认为只有像你这样的人才会有价值地利用堡垒，明智地利用它来抵御暴君，帮助渴求和平的人们。因为，实际上，我们枯树谷的人听说过世界尽头的水井，也确实相信它的力量。”

他说完后，拉尔夫静默片刻，似在考虑这件事。但罗杰这时抬起头，插进话来：“是的，是的，是这样！我们已经是和平之民，我们枯树谷的骑士们！”接着他因此而大笑，快乐至极。

拉尔夫正要讲话，乌苏拉抬头看他时脸上又有了愁容，此时一个村民冲进大厅，大声喊道：“噢，大人们！丛林中有武装的士兵来了。求求你们救救我们吧，我们没有什么武器，我们是和平之民。”

罗杰大笑，说道："呃，好人！如此说来，你想我们再回来？但我的大人，拉尔夫，你，理查德，你，斯蒂芬，过来到瞭望口，那里可以看到森林。我们在高处，看下面像看镜子一样清清楚楚。你关上大门了，老乡？""是的，罗杰大人，"那人答道，"并且我们还有五十人聚集在下面。"

拉尔夫、理查德和斯蒂芬从瞭望口观察，看到确实有一队人马从坡上下来，进入村子里面。拉尔夫，就像之前提到的，他是个千里眼，此刻他说道："是的，很奇怪，这些骑手们无疑是枯树谷的。在我看来大约有两百人。斯蒂芬，罗杰，这是怎么回事，你们的统领难道是后悔了，想收回他的人马……还有后话？"斯蒂芬听到他的话很是尴尬，罗杰则又低下了头。

但这时智者走了过来，对他们说："不必惊慌，拉尔夫大人。这些守卫们进来后，你打算怎么跟他们说？"

"这，"拉尔夫说道："枯树谷的此份厚礼，我不胜感激，但是在我看来我们从爱普觅斯归来或者派兵驻守之前，空城无人把守并不明智。"

斯蒂芬的脸一下子亮了，他说道："请你相信，我们的统帅绝对不会背信弃义。如果他真的这么做了，我会为你而战。"罗杰也信誓旦旦，说了类似的话。

拉尔夫略思片刻，说道："如此甚好，我们这就下去，出门迎接他们，这样我们也可以更快地启程去往爱普觅斯。"他不再多说，牵着乌苏拉的手，走出大厅，拾级而下，所有的人也都跟了下来。当他们来到下面的大厅，拉尔夫对村民们说："打开大门，你们害怕的这些来人，不过是枯木勇士，他们不过是回到自己的堡垒之中，他们会帮你们赶走欺负你们的人。”

农夫们面面相觑，打开了城门。拉尔夫一行走了出来，在离城堡半个射程的一个绿色高地上等候即将到来之人。拉尔夫坐在草地上，乌苏拉就在他身边，她说：“我内心深处告诉我，这些勇士们并非是叛徒，尽管他们之前粗鲁凶残。但是，噢，亲爱的，相比城堡的阴暗，草地这边阳光明媚。你确定，亲爱的，我们永远都不住在这里吗？”

“我不知道，亲爱的，”他说，“我们不是一定要走，住在纷争解决的地方吗？邪恶也可以成为极为强大的力量。你看，大伙儿到了！”

说话间，整队人马都来到他们面前，一行都是枯木军的勇士，都是些健硕之人且甲胄鲜明，适才骑得过猛，马匹皆有些脱力之态。走在最前面的高个勇士，身上的盔甲甚为威武，到达之后立即跳下马，来到拉尔夫面前向他致意，罗杰和斯蒂芬也向他行礼。拉尔夫站起身来回礼，接着高个勇士说道：“我是枯木军团的统帅，你是爱普觅斯的拉尔夫吗，勇士？”“正是在下。”拉尔夫回答。

统帅说道：“你们离开后我追来，你们必定惊讶，只是你们走后发生了一件事。也就是在你们离开后不过一小时，我的三个手下便带进一个人，他们有确凿的证据表明，在你所熟知的无主密林里，他们遇见了一伙四湾镇贼人。”

“爱普觅斯的人对于无主密林来说都再熟悉不过了。”拉尔夫说道。“如此，”统帅说道，“我们所说的这些四湾镇的人，夏季就住在原始森林当中，并放言他们会聚集他们能聚集到的森林中的其他强贼，和他们一起攻击爱普觅斯。在爱普觅斯站稳脚跟后，便养精蓄锐，再伺机袭击海厄姆城。等他们变得更为强壮后，便取回他们的老家四湾镇。如今我既已知道你是爱普觅斯人以及你的身份，还有你的所作所为，所以我特来相告此事。但你以为我带来的骑兵是让你带走的，并不全对。因为我想到，我们的城堡如今无人把守，不知会有何事发生；另外，还有一队被赶出去的四湾镇人占领了海厄姆城，如今的海厄姆城早已失去了之前的辉煌；如此这些骑手中的一百人要坚守悬崖要塞，其余的跟你走。至于其他，与你被告知的无异，悬崖下的汉普顿会作为一个礼物馈赠给你。之后我们就是四湾镇的主人，四湾镇对我们来说，已经足够。”

拉尔夫为此向统帅致谢，并说如果爱普觅斯之战他能活着回来，必定会接受统帅的馈赠，他说道：“有你们和戴穗者守卫四湾镇，我守在悬崖下，什么贼人强盗也不敢在这里撒野。”

统帅微微一笑，拉尔夫接着说：“时间已刻不容缓，请恕我们即刻告辞。尽管你们的骑兵完胜四湾镇人，但在到达海厄姆城之前我们必须悄悄行事。”

“你要去海厄姆城，勇士？”统帅问道，“如此甚好，你有可能在那里聚集更多的人马，至少也能听到些风吹草动。至于我的人马，他们也是期待如此。大人，现另有五百名戴穗勇士前来，虽然他们尚不会骑马作战，但此刻正穿过丛林，前来相助你守卫城堡。他们三小时就到，还会给你们带来一百匹马，因此你们悄悄去海厄姆城，如果他们能赶上你们甚好，如果不能，你们就驻扎在海厄姆等他们。”

“对你的慷慨解囊，我再次致谢，”拉尔夫说道，“我真是感激不尽，统帅之后如若有事相求，我必将即刻赶到，当效犬马之劳；如有必要，献上性命也在所不惜。因为，我何德何能，让你们视我这个外族人亲如兄弟。”统帅说道：“这个缘由我们之前就说过，我们佩服你胆识过人，喝到了世界尽头的水井中的井水，自此好运相随。还有，我们的女王在世之时视你为朋友，我们怎能不对你友好？我的朋友，不必在意，你们走吧，期待近日便可再相见。”

说到这，他亲了拉尔夫，和他们道别。拉尔夫示意一行人上马，只是一眨眼的工夫，他们都飞身坐在马背上，悄无声息地离开了汉普顿。

路上，拉尔夫对乌苏拉说道：“现在我们很可能再次看到伯顿乡，我们初次相见的地方。噢，那时的你多么迷人！我又是那么年轻快乐。”

“是啊，”她说，“我曾对你爱慕至极，如今正如众人所见，你我长相厮守，那段时光在我们的生命中不过是短暂的瞬间。但是我的朋友，全十能否重游伯顿乡，我很是怀疑。因为这些人都知道，通过小路可以抄近路到海厄姆城，无疑我们会走那条路，我也欣然接受。还有我想告诉你，我害怕那个村庄，害怕它会拉住我不让我走，把我从美梦中唤醒。”

“是的，”拉尔夫说，“即便是那样，你同样也会发现有我陪伴你左右，好像我在酒馆里睡下了，世界尽头的水井只是黄粱一梦，接着醒来看到你，我亲爱的，光着脚忙着家事，如此也是不错。”

“啊，”她说，“看看你周围的人，想想之后发生在他们身上的战争，想想马上要发生的战事。我多么希望这些日子已经过去了，我们还能活很久。”

Chapter 20

海厄姆城

这一路正如乌苏拉所料，拉尔夫一行抄了近路直奔海厄姆城而去，终于在太阳落山之前赶到了城门前。然而他们却未能真正靠近城门，城门前壁垒森森，壁垒内有重兵把守，已然进入警戒状态。远远望去，便可见那城墙之上早有弓箭手张弓搭箭，瞄准了王子一行。于是拉尔夫勒令众人停下，他、理查德和斯蒂芬·阿·赫斯特一道上前，走向了那群把守的士兵。他们三人皆是两手空空，唯一的武器便是各自鞘中的利剑，只有斯蒂芬还带有一根白布包裹着的棍子。待他们上前站定，便有一名魁梧的骑士自守卫们中径直走出，他来到拉尔夫面前说道："尊敬的阁下，你也是位骑士吗？""是的。"拉尔夫应道。于是那骑士又问："敢问你尊姓大名？""我是爱普觅斯的拉尔夫，"王子回道，"这些人便是我的手下。我们恳请你今夜能为我等引见院长大人，好准许我们明日赶早出发。"

“噢，可怜的年轻人，”那骑士惋惜道，“我可不认为这些人忠心待你。你要知道，他们可都是枯树谷的子民，公开佩戴着枯木的标志。你与他们相伴，简直无异于与虎谋皮。”

斯蒂芬·阿·赫斯特听罢骑士所言，不禁放声大笑起来，然而拉尔夫只是温和地说道：“这些人先前确是枯树谷的子民。不过，他们既已入我麾下，便将信守我之铁律，从此只供我一人驱遣调令，而他们允我之诺也将终生不可违背。”

听罢，那骑士静了会儿，又说道：“好吧，但愿如此。只是我决不同意他们踏入此城半步，要知道，他们在这儿的风评可不算很好。”

那骑士正说着，就见一个全副武装的男子推搡着同伴的后背，自那栅栏后挤出。他跌跌撞撞地跑至拉尔夫身前，呆呆地站着，满眼泪光地望向拉尔夫。拉尔夫见状，不禁多看了那男人几眼，过了一会儿，他便弯下腰，轻轻拥抱住那个男人，亲了亲他的面颊。瞧啊！这可是拉尔夫的二哥，修殿下。于是拉尔夫对修耳语道：“二哥，跟我们走吧，如果你愿意的话。”听罢，修一言不发地加入了拉尔夫的队伍。那骑士见状，不禁问道：“你认识那人？”“他是我的兄长。”拉尔夫转身回道。“呵呵，可如今他是谁的哥哥都无关紧要，”骑士说道，“他已许下效忠我们的誓言，可不再是什么爱普觅斯的王子了。你们也别再白费力气了。”说完这话，他回身朝栅栏处的守卫们问道：“为何之前没有处决他？”“在我们发现他的行踪之前，”守卫们应道，“就让他给溜了。”“哼，给你们弓箭是干什么吃的？”骑士怒道。

有人回道："那时候他们一行人对城堡来势汹汹，我们人少势微，根本没有胜算。更何况，我们射他的时候很有可能会伤害到你。"

听完，那骑士又转向拉尔夫。他神情恼怒，面色沉郁，在看到斯蒂芬和理查德那不明所以的笑容后，更是大为光火。于是，他开口说道："尊敬的殿下，这正应了那句老话。只要你跟我聊聊你的朋友，那我也会告诉你那些你想知道的事情。要知道你可是不发一言，就抢走了一名我们的守卫。"

"好的，骑士先生，"拉尔夫说道，"我想，你的意思也再清楚不过了。我是不是该出钱从你手中买下我的兄长？钱嘛，我还是有些的。"骑士长愤怒地摇了摇头。

"那么，"王子疑惑道，"我到底该怎么做呢，先生？"

骑士说道："除非你赶快骑马离开海厄姆，否则我一刻都高兴不起来，最好全都给我离开！"撂下这番话，他先是回到了栅栏后，然后又走了过来，说道："看看你们这群人，个个全副武装。我就实话跟你说了吧，我可一点都不相信你们。你们个个满嘴谎话，有何诚信可言？我要是准许你们入城，才是给主教大人的这片圣土带来了难以言喻的灾难。"

这番话终究是激怒了拉尔夫，王子气愤地驳斥道："你若是有胆，就带着手下出来一战，让我们来场真正的较量。可小心点吧，比起你的嘴上功夫，我们倒要让你们尝尝拳头的真正滋味。"

这边拉尔夫话音刚落，远处便传来一阵号角之声。快瞧，山坡那边，远远便可望见长矛的尖角。待拉尔夫一行走下山坡，便看见了差不多百来个枯木子民。那骑士原先一直目光锐利地注视着那边的动向，直到他发现那些人罩衫上的枯木标志，不禁脸色一变，当即便打马进城。入城后，他才悠悠地转过身来，朝拉尔夫这边投来蔑视一笑。其间，这厮还下令放出过三两只长矛和箭矢，不过所幸，暂无人因此受伤。至此，理查德和斯蒂芬都是愤怒非常，他俩纷纷拔剑，然而拉尔夫适时拦下了他们，他说道："走吧，朋友们，别与这些胆小鬼们多费口舌了。今晚就让吾等以天为被，以地为床吧，之前又不是没有风餐露宿过。我们的征途已然胜利在望，只待明早各位安然醒来。"

说罢，他便打马朝理查德、斯蒂芬以及他的手下们走去。看到此景，枯木勇士、拉尔夫一行以及新来的人们，不禁向那些海厄姆人发出一阵讥笑与嘲弄。拉尔夫众人皆不甚在意海厄姆人的拒绝，他们队列整齐地离开了城门口，慢慢退出了守卫们的射程。随后，他们快马加鞭，终于在月出之时，赶到了丘陵地。一路上，修骑着早已牵来的马匹，应着拉尔夫的要求，时时跟在这位弟弟身侧。他们太久没见，以至于兄弟间的体己话说上三天三夜都说不完。

Chapter 21

兄弟夜谈

首先，拉尔夫问修是否知道他们的兄弟格雷戈里的情况。修大笑，指着海厄姆城的方向，说道："他在那里。""什么，"拉尔夫说，"在修道院院长那里？""是的，"修大笑着说道，"只是精神层面，实际上还没有。他正变成一个修道士，兄弟；也就是说，他现在还只是一个学徒，六个月后就会成为修道院的一员。"拉尔夫问："那巧舌兰斯洛特，你的侍从，他去哪里了？"修说道："他也在那里，实际上已经在那里效力。他是他们的守卫，并且还很受欢迎，你也知道，他的腿脚功夫可不差，另外他能言善辩，人们喜欢听他说话。""但是，跟我说说，"拉尔夫说，"修道院的战争狂人怎么现在变得这么小气，就连在自己的城堡之内都这么小心翼翼，他们怕什么？修道院的主教不还是那个强大的首领吗？"修摇摇头："海厄姆城已时过境迁，尽管我也不得不说那些骑士们过于谨慎，恐惧得都过了头。”拉尔夫问道：“那到底有什么变化？”修回答：“过去的主教的确是非常之强大，海厄姆城戒备森严，他的庄园上城堡林立，坚固的房子随处可见，自耕农们听到召集，也会马上就拿起武器。简而言之，海厄姆城兵力强盛，富甲一方；那些修道院的修道士们没有什么事做，除了对付你的那些穿着枯木衣的朋友；其他所有的人都害怕那些圣墙，还有保卫他们的圣人。但枯树谷的人，据说，既不害怕人也不害怕恶魔（我希望他们即便成了你的朋友，也还是如此），他们想找乐子的时候就会到修道院的土地上掠取一翻，还常常和他们的手下在这里恣意妄为。但是这一切都结束了。我听说，大约在一年前，修道院和西土公爵发生了争执，西土公爵们自古以来就很难缠，他们生性贪婪又凶猛强大。那场争论越来越激烈，我们的主教觉得必须要教训教训他们。长话短说，他自己披甲上阵，亲自带队来对抗西土公爵。两军在曲桥西边大概二十里的地方相遇，该处的大教堂在那场战役中被摧毁。修道院院长尽管并不善于作战，但还是像歌里唱得那么勇敢，不肯撤退，如同自己刀枪不入一般，但是手下们还是把他强行拉走了，他现在住在坚固的堡垒中，也就是西部红岩峰。就这样，他走之后，许多英勇的将士被杀死了，其他人则逃进了城门。西土的人封锁了海厄姆城，本以为可以轻而易举地拿下这座城，然而修道士们和他们的人守城却干得不错，那些西土之人没得到什么便宜。但是，他们在那里掉头，强夺豪取，占领了修道院大部分的城堡和坚固的房屋；其中的一部分被烧掉了，其他的则派军驻扎，他们还带走了大量的战利品，有牲畜，也有男人、女人，这样，海厄姆的土地有一半被毁掉了。因此那些修道士们，尽管在城墙之内兵强马壮，却不愿出门远征；就这样，他们被困在这个狭小的地方，没有任何事可以提振士气，从此这些人就变得谨小慎微。”

“但是，二哥，”拉尔夫说，“就算是再谨慎，再胆小怯懦，我也不明白为什么他们对我们紧闭城门，我们只是这么一小队人马，又没有敌人在近前。”

“拉尔夫，”修说道，“你再想想清楚，枯木标志对于正人君子来说可不是什么好东西，尤其对于那些修道士们。在海厄姆流传着这样的故事：枯树谷人和恶魔们达成了协议，由恶魔做了统领，恶魔有大概一到五人。不，还有传言说，恶魔就在枯树谷人当中：有的像农夫，有的（上帝垂怜）则扮成女人的模样——在我看来，非常美丽诱人。现在海厄姆盛传的是，如果他们不是恶魔，不可能战胜四湾镇的那些暴徒，还把他们赶出自己的地盘，事实上我们都知道他们确实做到了。哈！对此你有什么要说的吗？”

“我要说的是，修，”拉尔夫气愤地回答，“你真是个傻瓜，跟着他们以讹传讹。”修大笑道：“不要生气，我的好弟弟，或者我该问问你有什么传奇故事。但是听我说，你听到这些话都会发笑：这些人不仅害怕他们原来的敌人——以恶魔为首的敌人，他们也害怕被恶魔赶出家门的人，也就是四湾镇的人。事实上他们更害怕那些四湾镇的人，因为他们打败了海厄姆的头号敌人，西土公爵，他们从西土公爵手里夺走了一些堡垒，正在那里积蓄力量。”

拉尔夫沉思片刻，说道：“哥哥，你有没有爱普觅斯的消息？那些四湾镇的人有没有到那里去？”“绝对不会！”修说道，“没有，我像个傻瓜一样离开那里后，就再也没有那里的消息。”

“什么，哥哥，”拉尔夫说道，“你难道没有自己的事业吗？”

“我的经历一言难尽，”修回答，“也有好的时候，但是大多数时间并不顺利。有三个月我在牢中度过，只是因为在一个与我无关的争执中被打破了头。有六个月我困在一个城镇之中，那里除了厄运连连，一无所有。从那之后有两天的时间我乔装打扮一直在逃跑，翻山越岭，又在夜间游过一条小河。有三个月我为一位骑士做侍卫，主要任务是监视他不安分的妻子，为了摆脱这份无聊的差事，我不得不和他的妻子做爱，不得不说，这次冒险还是值得的。接着我又是在夜色和乌云的掩护下赶路。有十个月我一直生活在原始森林的边缘地带，有时候也会走入林中深处，那段时间里，有一群人教会了我许多东西，但是却没有教我饥饿难耐时也不能把手伸向他人的东西。在那里我和其他五个人被海厄姆的士兵们带走，他们在谨慎地寻找是否有人可以充军。这样，他们给了我两个选择，要么在绞刑架那里服役，要么在教堂服役。于是，我做了自己的选择，然后就一直在那里，直到你出现，勇士。”

“这样，二哥，”拉尔夫说道，“是时候做些改变了，你要跟我一起回到爱普觅斯。你要是现在做出改变，情况可能还不会这么糟。”

修说道：“四弟，我很想试一试。但我能问你点事吗？”拉尔夫说：“问吧。”“勇士，”修说，“即便是在暮色下，人们看起来大致相同，我还是能看出你长得英俊非凡。但你身后的那些人本不会追随一个没有将士封号的人，他们却追随着你，你是怎么做到的？还有我还看到暮色中有个女子骑在我们的一边（现在只是一个黑影），她是如此的美丽温柔。事实上，她追随在你身后，也不足为奇（即便她是伯爵的女儿，我们爱普觅斯的小王子也是配得上这样的如花美眷），因为你本身就是个非常优秀的小伙子，还是王族的后裔，又会甜言蜜语。所以告诉我，她是谁？”

“二哥，”拉尔夫和善地说，“她是我的妻子。”

“那我要对她行吻手礼了，”修说，“但她是哪一支血脉？”

“她是我的妻子。”拉尔说。修说：“那倒是，事实上，这是一个极高的荣誉。”拉尔夫回答：“你说的是实情，虽然语气中带着讥讽之意，但这样对待你的同胞兄弟实为不妥。但是，我想告诉你，二哥，我已经成了水井的朋友，配得上国王们最出色的女儿；但她比那些最为尊贵的女王更适合我，她也是水井的朋友。另外，你说的那些枯木军们，并不愿意伯爵来做他们的首领，更愿意追随我。如果你还怀疑此中含义，可以持保留意见，再过两三天，你就可以看到我在两军之前如何作战。那时你再来告诉我，不久之前爱普觅斯的那个稚嫩的小伙子，现在有何变化。”

这时修有些尴尬，他说：“请你原谅，四弟，我向来笨嘴拙舌，这也许是造成我之前连连碰壁的原因。另外，我在这里的生活枯燥乏味，必须要从亲戚朋友那里才能找到点乐趣。”

“就这样吧，小伙子，”拉尔夫和善地回答，“你既然问了，我也回答了，所有的事情就都说清楚了。”

“然而，事实上，”修说道，“你就是奇迹中的奇迹，弟弟。”“即便如此，”拉尔夫回答，“之后回到爱普觅斯，等我们都平平安安，伴着美酒，我还有更多的故事相告。”

这时前方的骑士回来，在拉尔夫身旁拉住缰绳，报告说道，他们马上要到达山坡下的一个小村庄，这个山坡是丘陵地带的边界。于是，拉尔夫要求这晚就在村庄里住下，明日再打探消息。那人告诉拉尔夫，村子里的人一听说他们来，全都逃跑了，最好是他们和十来个人迅速冲进村子，这样晚上住下时不至于一点食物都没有。拉尔夫听到这里，表示同意，不过他还特意嘱咐手下切勿伤人，也不要烧村民的屋子或房顶。于是那人不再犹豫，轻踢马刺而去，拉尔夫和大部队静静跟上。他们来到了村子里的大街上，看到十字路口点着巨大的篝火，老者站在一旁，手里拿着帽子，二十来个壮硕的男人则在一旁，手里拿着武器。这时他们的首领走到拉尔夫面前，一边欢迎，一边说道：“大人，我们一听说有武装的队伍来，以为是四湾镇的人来了，觉得除了快点逃跑之外别无选择。但我们听说你是一个好心肠的首领，也是四湾镇恶魔的敌人，在这些可敬的勇士们的帮助下前往自己的家乡，我请你看看我们，我们有的和你们一样，大人，请接受我们能够提供的招待。”

然而当那首领看到枯木标志时，声音忍不住发颤。但是拉尔夫亲切地看着他，说道：“是的，主人，我们只希望头上有片瓦可以遮风，还有你们能匀出来点吃的给我们，作为回报，我们会回赠银器，还有我们的谢意。但这些壮士们拿着这些武器是要做什么，他们今晚要去哪里？”

这时，一个手持长枪，身上佩着短剑的高个男人站出来，勇敢地说：“大人，我们听说四湾镇的恶棍来了，兄弟几个不过是想与其被他们掳走，在他们的折磨下粉身碎骨，倒不如在战场上与敌人血战。现如今是你来了，我们也不想躲在后边，我们愿意追随你，为你尽我们的微薄之力，等你完成心愿，我们再回到自己人这里。如果你乐意，请赏给我们点小礼物，但是即便没什么赏赐就让我们离开，也没什么大不了，在你和你的守卫们身处泥淖、有需要之时，我们义不容辞。”

当他说完，枯木军中发出一阵赞叹声，拉尔夫也非常高兴，觉得这是个不错的誓言。于是他说：“不用担心，壮士们，打败敌军后，我不会忘记你们，我们要生死与共。您，长者，请告诉我们的士兵今晚在哪里休息，马该怎么安排。”

于是老者便安排了这一晚的食宿，让他们大部分人住在村子西边的一座大粮仓里。带他们前去的长者拿来了食物和好酒，跟他们说：“你们今晚最好看紧点，如果敌人今晚在外游荡，我们觉得他们会从这个方向袭击我们。说实话，这也是为什么我们会安排你们住在这里的原因。我们觉得你们也不会有什么怨言，想到有英勇的骑士隔开了我们和这些敌人，我们心里就备感安慰，我们是这样一群无依无靠的可怜人。

斯蒂芬听罢，不禁哈哈大笑道：“放心，老乡！用不了几天，我们就会建一个比你们用石头、石灰建的还坚固的墙，那就是，在战场上把他们打得落花流水。”

村民们和骑士相处得很是融洽，这些村民又讲了许多这些四湾镇恶魔干的坏事。他们就是这样称呼这些强盗的，但他们也不确定这帮人是否去了爱普觅斯。

至于拉尔夫和乌苏拉，还有理查德和罗杰，他们住在首领的房子里，享受了一顿丰盛的晚餐。此外，拉尔夫还和村民们讨论了四湾镇的人的活动范围，但也没有确定的消息。于是他和乌苏拉还有他的同伴上床睡下，只可惜这晚的平静并没有维持多久。

Chapter 22

旧识来访

正如先前计划好的，拉尔夫于午夜时分起了身。在喊上理查德，拿上各自的佩剑之后，二人便一起走出了粮仓。他们穿过灌木丛，来到村子西边，发现那里除了己方守卫再无动静。见此情景，他们便原路返回，快走近粮仓时，恰好发现罗杰正站在门口。这时正巧罗杰也发现了他们，他走上前对拉尔夫说道：“殿下，有人想要见你。”“何人？”拉尔夫疑惑道。罗杰应道：“是位健壮的老者，我已卸掉了他的武器。”“带他进来，”拉尔夫回道，“我倒要听听他要说些什么。”

于是他们三人走进灯火明亮的内室，那男人看向拉尔夫，并问道：“这位大人，你就是这些人的首领？”“正是。”拉尔夫应道。“那可否屏退左右？”老者再问道。“就如你所愿，”拉尔夫回道，“朋友们，可否离开一会儿，容我和这位先生说些话吧。”于是众人皆退出了房间，只有乌苏拉还躺在墙角的床上睡觉。那男人环视了一圈室内，然后问道：“有人在床上？”“是的，”拉尔夫说道，“这位先生，我的夫人正在睡觉。难不成她也要离开？”“这倒不必，”老人回道，“我开始说说我的故事吧。”

拉尔夫看了他一会儿，渐渐记起他们之前有见过，但一时又想不起是在哪儿。于是他压下这一切疑问，并让那老者开始讲述他的故事。

“我是这片丘陵地牧羊人的子民，虽然我们之中鲜有公爵，但其中有的人威望更甚权贵。至于我这个糟老头，还是有点武艺傍身的。而如今，我们遇到了一些麻烦。有群强盗闯进了我们的家园，使我等饱受苦难。这些人啊，不仅抢了我们的羊，还杀了我们当中奋起反抗的胞族，不过好在这些房子也不值几个钱，所以我们便从山的一边搬去了另一边。本来我们准备忍受这些苦难，正如其他人忍受烈风和恶劣天气一般，而非去寻找什么制敌的良策。但冥冥之中一切皆有定数，大人，这是个很长的故事，我无法把整个过程详尽地告诉你。我只能说，现下，我们四散的兄弟们已经开始集结起来了，族人们的血性已被激起，熊堡的这些禽兽掠走了我们的女人，对她们毫无怜惜，肆意折辱，所以这场战争早已蓄势待发。更何况，这里一直以来流传着这样一个故事，那就是一旦我族深陷苦难，必定会有一个来自远方的骁勇之士拯救我等于水火之中，而他的家乡又比邻我们的族群。他虽是个年轻小伙，但却胆识过人；他虽离乡多载，但威名远播。是时候让这座山染上仇敌之鲜血，让这世道见证我们心中的正义和热血了。这就正像那首歌谣所唱：

枯木即将重现，

茵茵草地之上，

春之气息播撒，

因这智者荣光。

人世万物一家，

且看枯木重发，

啊，春之觉醒，

遍洒这片热土。

“那么大人，请你现在告诉我，这可与你有关？我确实见过枯木标志，你的士兵大氅上的徽章曾一度让我们退却。可现在，我要继续讲完这整个故事。”

拉尔夫听罢，对那老者和善地点了点头，因为他终于记起，之前他从绿径去往海厄姆城时曾碰见过他一次。那老者也抬头仔细瞧了瞧拉尔夫，觉得王子看上去有点熟悉，但是他没有多想，又继续说道：

“圣安教堂那里有个孤苦无依的女人，她年纪不算太大，跟我差不多岁数。我和她七月时曾在丘陵地有过数次交流，以我的了解，别看她年纪不大，却非常睿智。她年轻的时候，就已经能够预知我身上即将发生的事情，而且往往能够一语成谶。今天早上，我去到她那里，并非要聆听她的智慧，不过是想叙叙旧罢了。然而当我进到她的屋子里，瞧啊，我看见她在房中来回踱步。她听见动静，回头看我的一瞬，我竟以为看见了她

年轻时的样貌。看到我，她不禁跺了跺脚，大声喊道：‘你这家伙，在这性命攸关时刻，你居然还在女人屋里厮混？’

“我静静听她骂完，一直都没反驳，因为我知道只要一出声，难免搅了她的兴致。于是她继续骂道：

“‘你这家伙，拿好你的东西，长得跟牛一样壮实，赶紧先给我去山脚下的荆棘林，然后再尽早赶到海厄姆城。路上小心四湾镇的恶徒们，直到你遇上一支穿着枯木绿衣的队伍，他们是枯树谷的人，个个全副武装。他们的首领是个年轻俊朗、为人和善的王子，他坚忍伟岸，宅心仁厚，乃是我等之福音、牧羊人之领袖、敌人之劲敌、以及深受人民爱戴的熊父。你这一路日夜兼程，风餐露宿，不要去管那些需要帮助的人，就这样一直走啊走啊走，直到你遇见那位王子。我得知他正朝海厄姆城而来，想必城里的那些懦夫不敢给他们开门。但那位王子可不会放弃，他定会继续前行，也许晚上歇在麦尔哈姆，也许是弥尔顿，又或者是加顿也说不定。不过不管他最终歇在何处，你总能在这三个地方寻到他。你要是有幸找到他，一定记着这样跟他说：噢，勇敢的水井之民，请务必截住四湾镇那些恶徒，以及那些流连于福克斯沃思城堡、朗福德、九道院等地的寇匪，这些地方，你和你的同伴以后都会去到的。你不知道，现在遍地都是四湾镇的恶徒，他们不好好待在那冰冷的城堡里，非得计划着前往爱普觅斯。你要是不赶上去，你至今付出的一切努力都将付诸东流，你一定会抱憾终生的。’你明白了吗，殿下？”

“是的，再清楚不过了，”拉尔夫应道，“天一亮，我们就转道爱普觅斯。我相信你，我的朋友。”

“等等，”那老者说道，“我好像认识你。那会儿，那教堂女人还提过：‘听仔细了，贾尔斯，用心记着。我已经能瞧见他和他的同伴了，以及那些将要向他们施以援手的人们。然而我还知道，前方尚有大批的敌人在等待着他们呢，虽然他们以少敌多，鲜有胜算，不过好在个个英勇无比。所以，他必须尽快赶往爱普觅斯。一定要快！不过，欲速则不达，一切还不能操之过急。我在熊堡里还看见了许多乡民，你也身处其中，追随着你誓死效忠的主人。在坞镇，我看见了一位骁勇之士，他手持利剑，头戴坚盔。他旁边还坐着一个人，那人铠甲裹身，有着银灰色的头发，红色的胡髯，骨架很大，看上去非常英武。他们坐在一间宽敞的房屋里，旁边放着一堆酒坛，一位美丽的夫人正站在旁边随侍。此刻，街上的行人早已寥寥无几。你还想再见你的朋友们吗？快上马吧，绿衣勇士们！勇敢前进吧，牧羊人！带上你们的武棍，森林守卫们！就这样翻过山岭，一路去往爱普觅斯吧。而那些从无主密林而来的贼寇们，恐怕只得在美妙的溪边找寻自己下葬的墓穴了。你们一定能成功的，饮下那井水的朋友们！’”

那老者说罢，不禁深吸了一口气，继而他说道：“大人，我要说的就这么多了。如果你明白我所言之意，那很好。若是你还不甚了解，还想我多加解释一番，这也是可以的。”

拉尔夫思索了一会儿，应道：“除了那位女术士，还有谁知道那些贼寇们去了爱普觅斯吗？”“没有谁了，大人，”老者回道，“这也是我要对你说的。那位女士说，贼寇们尚未抵达爱普觅斯，但是他们从无主密林出发，此刻想必距离你的故乡已经相当近了。”

听罢，拉尔夫从椅子上站起身，不安地在屋子里来回踱步。突然，他停了下来，走到了乌苏拉的床边，倾身看了看她，发现少女睡得并不踏实，毕竟白天的一路颠簸让她太疲乏了。接着，拉尔夫又回到了老者身边，对他说道：“我的好朋友，真的很感谢你。我会照你的话去做的，等天亮些的时候——瞧，天色已经有些发亮了——我会召集所有的手下，带领他们直取你告知我的小道，一路奔袭直至熊堡。先前，有个善良的牧羊人曾告诉我，必要之时，我可以亮出四团火焰的标识。虽然看这天色，我们不一定能在日落前赶到，但我相信神明的护佑，定能支撑牧羊人民渡过难关。但是保险起见，我们所有人还是得尽快出发，不管我们人数是否占优，都要直冲坞镇。在那儿，我将再次遇见我的老朋友——商人克莱门特，还能捎带探听些消息。接着，我们将再次启程，回到生我养我，我亦可为之殒命的家乡。愿这路途之上，有诸神和圣·尼古拉斯常伴左右，庇佑吾等。亲爱的朋友，照你看来，这可是那位女术士的原意？”

闻言，老者的双眼不禁亮了起来，他站起身，凑近拉尔夫说道：“她正是此意。但是，如今我瞧着，就算你的骑手从爱普觅斯返回，前往附近四湾镇恶棍们的老巢，多半也折损不了多少人马。但是告诉我，大人，那桌上的是干粮和面包吗？”

拉尔夫大笑道：“是的，我的朋友，请便吧。我这里还有点酒，你不必拘束。你喝这么急，之前路上都没喝过酒吗？”

“不，不，大人，”老者边吃边说道，“对我来说，这一路如此艰辛，酒食自然是越多越好。虽然我的祝愿并不影响殿下你的福泽，但是我还是得说，大人，祝你好运！事实上，今夜初见殿下之时，我就已将你忆起。我真没想到会再次遇见你。不过，我那时所说，句句皆是出自真心。我记得，我第一次见你已是很久以前，你可真是变了不少，你现在双目澄明，风采早已更胜往常。不对，不对，但是今晚，你一开始看我的眼神可绝非和善，就好像我是别有用心的小人一般。是了，我知道了，你的和颜悦色只留给友人，铮铮铁血是给敌人的。上帝会保佑你的。现在我吃好了，就让我瞧瞧你的妻子吧。”

说完，他起身走到床边，倾身看了看乌苏拉。然而少女此刻正半梦半醒，她恍惚地对老人笑了笑。老人见状也笑了笑，俯身在少女的唇上轻轻一吻，接着说道:“我要向你道歉，夫人，以及你，我的殿下，我这般冒昧的行为虽是丘陵地人的礼节，但是一个老人亲吻这样尊贵的夫人，实在是有失礼数。这般温柔的一吻，足以慰藉我的余生。”

“我的朋友，我们并不会为你的爱意而感到恼怒，”乌苏拉说道，“愿上帝护佑你平安喜乐，此生无虞！”

Chapter 23

前往熊堡

他们愉快地交谈着，这时东方已露出了鱼肚白。拉尔夫让老贾尔斯睡上一小时，自己则叫上罗杰和理查德来到了大粮仓。他让守卫叫醒斯蒂芬和其他的人，一行人迅速上马，日上三竿前便已上路。村子里的长矛卫队没有让他们失望，总计有二十三人愿意追随他们。老贾尔斯也分到了一匹马，一路上他就骑在拉尔夫身旁。

他们翻山越岭，走的是乡野之路，而不是大路，这样更近些。

他们行进了大概两个里格，靠近一个低矮的绿色山脊顶部时，好像听到了附近有人声和武器撞击的声音；这里要说明一下，他们的部队在拉尔夫的建议下悄悄行进。拉尔夫和贾尔斯骑在最前面，他让大部队原地不动，以山脊顶部作为掩护。于是他们便按吩咐行事。贾尔斯跳下马，直往山顶爬去，在那儿可以俯瞰山谷中的情形。接着他爬下山来，那布满皱纹的脸上盈满笑意，他轻声对拉尔夫讲道："我不是说过你有好运吗？现在马上就能得到验证。大人，翻过山脊，你们就会像在羊圈里捉羊一样，不费吹灰之力，就能擒获他们。"

于是拉尔夫拔出宝剑，示意手下们起身。一众人马立即手拿武器，冲过山谷，甚至都没有大声呐喊。只见那山脚下有一群人（后来他们数过有四十六名），围在炊火前或躺或倚，或是四处闲逛，这些人的马匹都在身后，其中多数人没有戴头盔。枯木军们立刻就知道了这群人是谁。他们是宿敌！眨眼之间，一半的人已被枯木勇士们刺死。拉尔夫这时喊道，除了要逃跑的，其余的先留其性命。于是敌人扔掉手中的武器，站在原地，接着被带到拉尔夫面前，拉尔夫在众人的簇拥下，站在草地上。他盯着他们看了一会儿，想起之前在四湾镇受到的恩惠，还没有开口，贾尔斯在他耳边低语："这些人是四湾镇人，没错，看看他们的狗脸就知道了；但是这些人的武器装备和我们之前碰到的皆不相同，问问他们是从哪来的，大人。"

拉尔夫开口问道："你们这是从哪里来，又要去往哪里，刽子手们？"但是没人应答，于是拉尔夫说道，"斯蒂芬，杀了这些恶人，除非他们有人回话。"

他说完，这些人中较为年轻的一个垂下头，片刻，又抬起来说道："如果我说，你会饶了我们吗？""是的，"拉尔夫回答。"你能以剑来起誓吗？"此人追问道。"是的。"拉尔夫抽出宝剑，说道："看，我发誓。"那个人点点头，说道："闲话少说。尽管我不知道我所说的是否对你有用，但是既然可以活命，那我便告诉你实情。我们是四湾镇人，在一个不幸的日子，被这群身穿绿衣的贼人赶出了家门。这样，我们中的一些人，我是其中一个，带着指南针，从红桥渡过横穿爱普觅斯的大河，来到高地的无主密林。在那里我们和森林里的一支强寇达成了协议，将携手在爱普觅斯占领一个新的家园，因为爱普觅斯土地肥沃，气候宜人。一切准备就绪，但是那些林中人告诉我们，爱普觅斯人虽然数量不多，但是十分强壮，且无所畏惧；但因为美好的生活就在眼前，有出色的奴隶为我们干活，许多漂亮女人同床共枕，我们觉得最好纠集我们的一众人马，如此便可以在伤亡最少的情况下，一战就击败那些爱普觅斯人。现在，我们得到情报，我们中的一支部队进入了海厄姆修道院的领土，占领了他们的一些城堡；首领们深思熟虑后，派我们去海厄姆请求援助，请他们立刻派军前往爱普觅斯，我们的军队会在那里汇合，然而这一切在我们的手里化成了泡影。这就是整个故事，大人。”

拉尔夫紧皱眉头，说道：“告诉我——你是否能活命，就看你是否说实话了——你们堡垒中的同盟知道你们袭击爱普觅斯的目的吗？”“不知道。”那个四湾镇人回答。拉尔夫说：“你们不去通信，他们会知道吗？”“不会。”那个人答说。拉尔夫又问：“你们的人已经在爱普觅斯了吗？”“还没有，”俘虏说，“但这时应该已经在前往的路上了。”“他们总计有多少人？”拉尔夫问。那人脸红了，结结巴巴地回道：“一千——两——两千——一千人，大人。”他说。“把剑准备好，斯蒂芬。”拉尔夫说道，“四湾镇人，拿你的生命起誓，他们到底有多少人马？”“两千人，大人。”那个人答道。“你们希望海厄姆城能派出多少人马？”那四湾镇人回答：“一千多。”这时他不安地看着他的同伴们，其中一些人在外围正对他怒目而视。“告诉我，”拉尔夫问，“四湾镇的其他部队在哪里？”

那俘虏刚要讲话，站在他旁边的同伴从枯木军身上夺过一只尖刀，以迅雷不及掩耳之势，插进了他的腹部，他立刻就倒地身亡了。接着斯蒂芬手里握着出鞘的宝剑，直接就砍倒了那个凶手。这时枯木军们纷纷拔剑出鞘，如此不消片刻，这些人就得统统被杀死。但是拉尔夫这时大声喊道：“手下留情，勇士们！斯蒂芬杀死那个人，是在保护我，这是他的职责。但是我说过会饶恕其他的人，如此必定要遵守诺言。把他们的手捆起来，带到熊堡。听到这个消息，莫要再迟疑。”

于是他们纷纷上马，加顿来的步兵骑上了已经丧命的四湾镇人的马，押送着剩下的二十人，一起往熊堡的方向疾驰而去，简短地说，中午前两小时，他们抵达了城墙。途中他们几次碰到了武装的小部队，这些人似乎都在朝同一个方向行进；贾尔斯每次都告诉拉尔夫，他们是去往城堡的牧羊子民。这时他们站在城堡近前，看到一股人流在山上弯弯曲曲，直抵城墙，贾尔斯说道：“无疑马大派来了军队，你现在有一支队伍可以救急；人数虽然不及敌军，这就要靠你的运气了。这次遇到四湾镇人，你的运气再次得到验证。”

“是的，真是这样，”拉尔夫说，“但是你能告诉我，如果他们同意我的请求，援助我们，我又该如何指挥他们？”

“瞧，”贾尔斯说，“已有人向我们言明了你的请求。快听，他们正在那儿吟诵我们族人的先父，没有他，我们一事无成，即便赐福的圣人相助也于事无补。这就是答案，大人。”

确实，在他说话时，风儿带来了远方众人的一曲吟诵，那些歌词他记得非常清楚：斧头砍呀砍，噢，熊父。这古老民族城堡的每个角落都生起了一柱浓烟，其中还混杂着火焰。拉尔夫看到这个场景，心里欢呼雀跃，而在他身后的乌苏拉看着他的脸也非常高兴。

这样，他们骑上山坡，穿过草皮覆盖的桥梁，来到堤坝的平坦之地。在那里，人们簇拥着观看新来的战士们；实际上，不过二百来人，在这个巨大的广场上看起来少之又少，但是仍不断有人陆续前来。贾尔斯带着他的人来到城堡的东北角，在那里，他们跳下马来，躺在草地上，静观事态的发展。

Chapter 24

牧羊子民

不到一个小时，城堡里的人们便开始往拉尔夫和他的同伴处涌去。这时所有人都站了起来，牧羊子民们纷纷立于土坡之上。而在那火焰燃烧的最高处，站着一位长须老者，他头顶轻盔，手握长戟，他单是站在那儿，便自有一种让人心安的力量。待其唱诵完毕，他便声称其剑指之处，所有子民皆已获得神祝。听闻此言，广场上的牧羊子民们不禁为之一静，只听得那老者高声说道：“今日，还是闲话少说为好。诸位可知我等为何相聚于此？”他说话之间，也有不少牧羊子民挥舞着手中兵器，纷纷发出附和之声，然而却并无一人出声应答。于是，那老者再次说道：“我们今日相聚在此，只因磨难已至。从前人口中得知，将有一位英雄拯救我等于水火之中。我之困难，彼之困难，我们将与那位一起从磨难中浴血涅槃。如今，子民们，我可以先告诉你们，那位英雄足智多谋、真诚和善，现在就让我来为你们引见他吧？”

听到这里，下面又是一片武器铿锵、喃喃附和之声。那老者接着说道：“这位来自爱普觅斯的拉尔夫，就是我们一直在等待的人啊。年轻人，你会如同我们出手相助你一般，帮助我等力克强敌吗？”

“是的。”拉尔夫答道。老者问道：“如果我们皆俯首听命，你可愿成为我们的首领？你大可不必担心我们会让你失望。”

“当然愿意，荣幸之至。”拉尔夫回道。

“拉尔夫殿下，”那老者再问，“作为我们的首领，你是只想当我们的外乡人、救世主，还是我们情同手足的兄弟？”

“那自然是兄弟。”拉尔夫回答说。

“那上来吧，我们的首领。拉住我的手，握着这柄上古神器，于诸神面前许下庄重的誓言，愿这血之羁绊，使你成为我们真正的一员。在场的牧羊子民啊，我们共同见证了这神圣的一刻。伟大的枯木子民！”

于是，拉尔夫走上高台。他握住老者的手，从他另一只手中接过刻着烫金古文的长戟。他一边挥舞着神器，一边高声宣誓，自今日起，自己已成为牧羊子民血脉相连的兄弟。他话音刚落，人潮就欢呼起来：“新的兄弟！”此刻，枯木人们也都跟着开心地呼喊着，整个圣坛沐浴在一片喜庆之中。

没过一会儿，只见那老者又开口道：“枯木人们，你们愿意与我们一道共御强敌吗？”

于是，斯蒂芬·阿·赫斯特上前说道：“牧羊人首领，我们来这儿正是为此。”

老者答道："那你是为友而来，还是只是忠人之事？不过，不管是哪一种，这都说明你们是友非敌。虽然我们风餐露宿，居无定所，但我们定会予你们以报酬。"

斯蒂芬听闻，不禁大笑道："确实，我们曾在你们的地盘上捕猎，当然，彼此间也有过些摩擦，但这不过是些小打小闹罢了。既然如今我们得并肩作战，自然得使敌人付出代价才对，而非牧羊子民。所以，待我们抓着那些凶寇，我们不会从你们这里索要任何东西，哪怕一根头发，一团羊毛都不会要的。那么，从今以后，就让我们团结一心，共同作战吧。"

于是，所有人又都欢呼了起来。这时，老者再次开口道："现在还有人想说些什么吗？"音落后一时间无人应答，只有一位身材魁梧的牧羊人起身说道："不，大块头托马斯，你所说所做的已经很好了。我只是觉着，现在时间紧迫，大家都散了吧，吃过饭后，我们也好早早上路。谁有异议？"

大家看起来都十分赞同，一时间也无人反对。于是，老者宣布集会结束，大家纷纷离开圣坛，回到了土墙前的堤坝处。坐在那里，可以看见一望无际的碧蓝天空，此时的天空又是何等的耀眼明亮。没过一会儿，便有女人端来食物和酒水，先招待了他们这些远道而来的客人。

众人酒足饭饱之后，拉尔夫便命令牧羊人们尽快整顿，准备上路。并在贾尔斯，就是那个通身盔甲、全副武装的人的帮助下，给每一百人选出了各自的领队。分好队后，大家纷纷转告了自己的同伴。至于枯树谷人呢，除斯蒂芬和罗杰之外，共一百五十五人。另外，还有加顿人二十二人，以及牧羊人三百七十七人，个个健硕无比，其中八十人持弓，余下的均仗剑持矛，又或其他武器。虽说他们中少有盔甲，但这些小伙可都个个身强体壮、勇敢刚毅。

在被告知分组之后，这五百五十四人均整装待发，准备启程。拉尔夫全身除了头盔，再无其他防身铠甲，只穿了一身四湾镇所购的轻便外裳。王子原本想让智者带乌苏拉骑她的小马，却没想乌苏拉拒绝了他的好意，表示自己很乐意行走于这片大陆之上，毕竟她就快回到她爱人的家乡。于是，她轻摆绣服下那不盈一握的腰身，径自走到拉尔夫的身侧。乌苏拉那莹白修长的双足不知勾去了多少心神。而拉尔夫此时已从队中选了十余人，率领他们到前方先行探路。这对拉尔夫来说简直就是轻车熟路，毕竟他是多么熟悉这片土地啊。

Chapter 25

来到坞镇

如此拉尔夫带领着队伍向前行进，一路无事，直到太阳落山之前，他们终于抵达坞镇城门附近。我们之前曾提到：拉尔夫离开坞镇时，镇上没有城墙，而如今，他发现，整个小镇已围上了栅栏，城门的两旁还各建了一座木制的坚固高塔；而城垛之上，长矛冷光闪闪，反射着落日的余晖；同时，在城门前，他还看到城门上拴着巨大的门闩，隐约可见门里的金属盔甲熠熠生辉。拉尔夫看到这些，心里由衷的高兴，因为这就意味着城中已经有所防范，虽然坞镇并不在爱普觅斯境内，但一直以来和爱普觅斯交好，他想竭力维持这份友好关系。

坞镇坐落在一个小山之上，或者说是一块高耸的土丘上，拉尔夫一行择路而行，选择了一块平坦的绿地，星星点点只有几棵树，这样从城门之内就可以很清楚地看到他们。只一会儿城内便传来震耳欲聋的号角声，塔楼上也聚集了很多长矛手。

拉尔夫让他的队伍停在弓箭的两个射程之外，他一手握着未出鞘之剑，一手拉着乌苏拉，步伐从容地向城门处走去。他们队伍中的一些人，特别是罗杰和斯蒂芬，想要跟他同去。他大笑道：“为什么，小伙子，为什么？这些人是朋友。”“是的，”罗杰回答，“但是弓箭无眼。带一个士兵去吧，大人。”云梦乡的智者说道：“你说起话来像个只会打仗的傻瓜。冥冥之中，那些弓箭手的眼睛和手背后自然会有护佑，不会让水井的朋友遭遇不测。”

拉尔夫和乌苏拉往前走去，在城门前不到一箭之地，拉尔夫提高声音，大声喊道：“塔上是否有城中的将领？”一个惊喜的声音应答：“有，有，小伙子，不必多言，我马上出去迎你。”

此人从城门后跑出来，直奔向拉尔夫。等他摘掉了头盔，拉尔夫一眼就认出来是商人克莱门特。他老泪纵横，一上来就把拉尔夫抱在怀里。过了一会儿，他慢慢松开拉尔夫，无声地观察了他一会儿，接着他说道：“欢呼！欢呼一千遍！如今只是看着你，就知道了你的所作所为，你现在气质高贵，我不能再拥抱你了。对于这位女士，我更清楚如何行礼。”

于是他跪倒在乌苏拉面前，恭恭敬敬，行了吻足礼。她弯身把他扶了起来，一脸笑意地吻了他，用手指碰了碰他的脸，说道：“大人的朋友，向你致意！相比拉尔夫，是你将我从尤特堡的困境中解救出来，也是你带他安全穿过山脉，抵达金阁城。若不是有你的倾心相助，压根就别提什么水井了。”

但克莱门特站在那里低垂着头，脸羞得通红，直到拉尔夫对他说：“多少次翘首以盼今日的重逢，不过如今的相遇比我们预想的要好太多。但是现在，克莱门特，抬起头来，做一个坚强的战士，你也看到我们并非只有两人。”

克莱门特回答：“是的，英勇的大人，你，还有你的同伴来得非常及时。刚才是过于兴奋，现在我要告诉你，穿过这个城镇，你就会看到敌军肆虐，那些敌军数量庞大，并且还非常残忍。“是的，”拉尔夫回答，“他们有多少人？”克莱门特回答：“具体有多少人不得而知，但是我估计大概有两千。”

这时，拉尔夫急得满脸通红，他抓住克莱门特的肩膀，说：“告诉我，克莱门特，他们还没到爱普觅斯吧？”“说实话，”克莱门特说道，“这时他们可能已经攻到了，但今天早晨的时候还没有。来我家里吧，你的教母可以预知未来，大概能告诉你更多情况。她告诉了我们这件事情，还预言了我们会渡过这个难关。”接着拉尔夫说道：“我的父王和母后在哪里？我是不是应该马不停蹄，趁着夜色去找他们？”

这时克莱门特面露喜色，说道：“不用，你只需要在我们的城墙之内，卡伦斯堡，就可以见到他们。他们已经在这里住了两天，没有失去任何的尊严。”“什么！”拉尔夫说道，“他们从爱普觅斯逃走了，把爱普觅斯宫空无一人地留给了敌人？我求求你，克莱门特，赶紧带我去见他们。”

“实际上，是的，”克莱门特回答，“他们和其他许多老少妇孺一起撤退的，留在那里，他们只会拖累前方作战的战士。长腿尼古拉斯是部队的首领，爱普觅斯宫在某种程度上是他们的堡垒；但实际上他们强壮的身体才是最好的防卫。”

这时拉尔夫插进话来：“亲爱的乌苏拉，尽管你今天已经旅途劳累，但我还是请你迅速返回我们的队伍，告诉理查德我跟你说的话，告诉他们，前方的朋友和热情的招待在等待着他们；让他们加快脚步，即刻进城。至于我自己，我曾发过誓，不在爱普觅斯宫见到我的父母，我不会回头一步。我说得对吗，克莱门特？”“千真万确，”克莱门特一边回答，一边目不转睛地望向乌苏拉，只见少女轻提裙摆，跑起来如同原野中的月亮女神[①]。最后他说道，“勇士，你知道，你明天可以带着坞镇的一小队人马前去；事实上，明天无论如何我们都会派兵，不过既然你来了，这实在是再好不过。”说话这会儿，乌苏拉已经把消息带到了后方，人群中发出欢呼之声，接着传来人马重重的脚步声，还有前进时武器发出的摩擦声。克莱门特看到，乌苏拉走在最前面，手里拿着圣杖，满怀期待着即将发生的事情，于是他大声喊道：“大人，真为你高兴，真为你高兴，谁能阻挡你？看，战神莅临！她走在队首，手里握着命运之戟！圣哉，圣哉！”

这时众人汇合在一起，乌苏拉把长戟交给拉尔夫，拉尔夫另外一只手拉着乌苏拉，只见城门在他们面前缓缓打开。整队人马鱼贯来到大街之上，枯木军走在队伍的最末端，排在步兵之后，他们骑在马背上，个个人高马大，好像战神的贴身侍卫。

---

① 狄安娜是罗马神话中的月亮与山林女神。（译注）

Chapter 26

举家重逢

他们来到位于克莱门特家门口的一处集市，所有士兵早已在那儿列队等候。拉尔夫站定后，不禁环顾四周，以期能在门口瞧见教母凯瑟琳。克莱门特见状不禁笑道：“殿下，你在寻找你的教母吧。不过，她已经身披盔甲往北门去了。你知道的，我们这人手不够，可没有夫人这般身姿轻盈、体力充沛的女子。只要你一从教会回来，夫人她也会回到这里的。事实上，你最好即刻起程，如果你想让我主管食宿问题的话。”听完，拉尔夫不禁笑道：“好吧，坞镇首领，既然你命令我离开，那我自当从命。不过大人，鉴于我已经熟知去往圣奥斯丁教堂的路线，所以也不劳烦你给我带路了。”说罢，他又转向乌苏拉问道：“我想问你，你愿意随我一起，还是等明天我再把你介绍给我家人。”“不必等到明天，”乌苏拉说道，“殿下，只要你想带我去，我现下就能跟你走。在我看来，我本就应该去面见生你养你的双亲。”

“还有你，修，”拉尔夫再问道，“要跟我一起吗？”“不了，我的好弟弟，”修回道，“我还是明天再去吧。比起你来，我可没有什么可人儿要介绍给他们。更何况，你如今身为一方领队，明天尚有诸事缠身，而我只是个闲人罢了。”说罢，他朝拉尔夫心酸地笑了笑。然而，拉尔夫并没有注意到修的表情，他只是牵起乌苏拉的手，兀自与她离开了。

拉尔夫二人走了一会儿，便来到了镇子西边的卡伦斯堡，其森森围墙使得它与外界完全隔离开来，成了西边最后一道防御屏障。这座城堡教堂刚刚修葺完毕，拉尔夫从街角便能望见它那白色的尖顶和矗立在其东墙之上的十字架。拉尔夫和乌苏拉行至大门前，只见这里把守着不少带刀侍卫，猛地望去真是数量众多。不过，待到拉尔夫仔细瞧了瞧他们，便恍然发现其中竟有不少熟悉的面孔，有很多都是爱普觅斯的老人，战争在他们身上也都留下了深刻的痕迹。因为拉尔夫并没有取下他的头盔，使得他们都没有认出自己的王子。然而，众人看到如此曼妙的少女和英俊的骑士，还是纷纷热情地注视着他们。

于是，拉尔夫走上前去，恳请门卫带领他们二人去面见爱普觅斯的彼得王以及他的王后。只见那门卫先是朝他行以一礼，然后便给他们放行，告知他们帝后二人现在应该正在教堂祷告。于是，拉尔夫二人终于得以进入堡内，他们寻至教堂，只见这教堂中因夕阳西下而变得视线昏暗，四周挂着许多画像，就连窗户玻璃上也装饰着不少美丽的花环。

他们慢步走向教堂中央，最后在那里停了下来。这时整个教堂沐浴在一片天籁颂歌之中，这曲子仿若吟游诗人于圣坛阁楼奏出的一般。拉尔夫站在原地屏神凝听，顿觉整个灵魂充斥着一股由生之喜悦带来的希望和爱意。他不禁看向乌苏拉，只见她垂着脑袋，双肩微颤，已低低啜泣了起来。他明白，他们此刻都有着相同的感受，所以便没有出言打扰她。

终于，拉尔夫慢慢适应了教堂里的昏暗光线，他不禁向唱经楼的方向望去，发现在耶稣祭坛旁，站着一对饱经风霜的男女。他当即明白过来，那很有可能就是他的父王、母后。于是，他立于原地，静候仪式结束。等待的时间是如此漫长，窗外暮色逐渐西沉，仪式终于走至尾声。这时，教堂打扫者点燃了这夜里的第一盏明灯。随后，小教堂、唱经楼回廊中的灯也都慢慢跟着亮了起来。

彼得王和王后转过身，慢慢从台上走下。当他们走得近了些时，拉尔夫不禁高声喊道：“尊敬的爱普觅斯彼得王！”听到这声音，彼得王不禁停下步伐，对他说道：“是的，没错，我就是彼得王，一国国主，也可以说是一个懦弱的君主。原本我家国平安，但如今这一切都已付之东流，我的子民们四下逃亡，无人依附，个个饥贫潦倒，朝不保夕。”

说完，彼得王望向拉尔夫和乌苏拉说道：“莫非我老眼昏花更甚昨日，我看见了一名年轻英勇的骑士，他身边还站着一位年少美丽的少女。啊，拉尔夫！你和这位可人儿回来得正是时候，随我进屋吧，我要设宴为你们接风洗尘。如今，我所能给你的最好的忠告便是，让你们远离这战火纷扰的土地。然而孩子们，事实上，在爱普觅斯沦陷之后，我不知这世上还有什么地方不受这战火侵扰。”

彼得王说话时，拉尔夫不禁被他的悲伤所感染。这位君王和善的语调中不免夹有一种看透命运的嘲弄。王后走近拉尔夫，把手轻轻置于他的肩上，她心慈人善，用着同样轻柔的声音宽慰道：“为什么这位年少的骑士和他的同伴，都不会为我们这对可怜的老人家着想呢？要知道，他们最爱的儿子这两年来可是全无音讯。现下，何不跟随他们进入屋中，说上一番体己话，好好描述后来游历时所遇之事呢？”

拉尔夫听罢点了点头，迈步向回廊走去。其间，王后一直紧跟在王子身侧，彼得王一边跟着，一边说道：“是的，我儿，你也许不耻我藏于这庙堂之中，然而现在，据我所知，战火点燃了整个爱普觅斯。不过，还是有尼古拉斯和许多子民仍在苦苦坚守。是的，我所有的儿子都不在身边，就连大儿子也远在他乡。他生下来时，大头大脑，我们听说他现在过得很好，身体又健壮了不少。”

就在说话时，他们一行人来到了回廊。夜幕下，星光稀微。此时，王后转身面向拉尔夫，扶住他的双肩，哭泣着环住了王子的脖子，等到能够控制哽咽之声时，她才稍稍离开拉尔夫说道：“哦，拉尔夫，我原以为，再见时，我定能认出你的声音。可是，直到确定你是我的骨肉之前，我竟没有认出你来。一想到这点，我身为母亲便羞愧到无地自容。哦，我的孩子，瞧你现在是何等之好！现在，快卸下你的头盔，让母亲好生瞧瞧你吧，让我抚摸你英俊的脸庞，再摸摸你那毛茸茸的卷发吧。”

于是，拉尔夫乖乖地卸下了头盔，充满爱意地望向自己的母亲，王后不禁又拥抱了他，而后亲了亲他。这时，彼得王也走了上来，他稍稍推开王后，同样抱了抱拉尔夫，感慨道："我的儿，告诉父王，你都经历了些什么吧？自你离开我身边，你已有了一个男人该有的样子。这华丽的盔甲之后究竟住着怎样的灵魂？还有这位美丽的女士，是她将你从敌手中救下，助你回到我们身边的吗？"

拉尔夫听罢，不禁大笑道："父亲，差不多吧。我现在就全部告诉你吧。但是有件事我得先说说，我现在是一支军队的统领。还有……""哦，孩子，宝贝，"王后说道，"我瞧你如今如此强大，难不成还要再次离开我们，去过那种挂帅封爵的生活？我只愿你不再离开。"

"我亲爱的母亲，"拉尔夫说道，"明早我们就将赶往爱普觅斯。待战事结束之后，我将满载颂誉与荣耀归乡，会接您回到那片熟悉的热土。但是母亲，瞧，看我给您带回了怎样的一个可人儿，她已嫁与我为妻。"

乌苏拉期盼地看向王后，王后先是拥抱了她，在她肩上拍了拍，最后又亲了亲她的面颊，然后说道："欢迎回家，孩子，我能感受到你对我的爱意。"

这时彼得王说道："不得不说，儿子，这可真是位美妙动人的姑娘。这世上恐怕再找不出比她还要漂亮的姑娘了，就连我的言辞也无法完全形容出她的美丽。快告诉我，这是哪族的姑娘？"说罢，彼得王拉起她的手，在少女的手背上印下礼节性的一吻。

然而乌苏拉回道："我既非权贵子，也非世家女。我生下来就只是个农民的女儿，双亲早逝，除了个并不亲近、难见一面的哥哥，这世上已再无我的亲人。我还可以告诉您，如果拉尔夫想要我离开他，我绝对照做。但倘若有别人想要迫使我离开，那就恕难从命了。”

彼得王听罢不禁大笑道：“我永远也不会迫你离开。”说罢，他拉起她的手，又说道：“姑娘，你叫什么名字？”“乌苏拉。”她回道。国王说道：“乌苏拉，你的手掌可比这城里所有淑女的手都要粗糙多了，但我相信你的血统绝不卑贱。跟我说说你的家人吧？”于是，乌拉苏开口道：“我们从遥远的格瑞斯而来。战矛已毁，旌旗跌落，就算我们劳作辛苦，被权贵唤作贱民，我们也应不忘先祖。再说，我们只是把贱民当作伯爵的另一种叫法罢了，它只是一种称呼而已。”

接着拉尔夫说道：“父王、母后，我将衷心感谢你们对我如此关怀，也祝你们未来万事诸顺。不过，我现在想与你们谈谈面前这位女子，她之心胸要比任何帝王和领袖都要宽广。正是因为她数次拯救我于危难之中，所以她的手才会如此粗糙。”

拉尔夫话音刚落，王后便又上前环住了少女的脖颈，再次百般感谢她的到来。

倒是彼得王问道：“孩子，你还没有告诉我，你到底完成了怎样的使命？毕竟，你看上去还是发生了不小的变化。”

拉尔夫说道：“父亲，以及爱普觅斯的国王陛下，我已成为丰饶城堡、悬崖要塞之领主，枯木民的誓言兄弟，牧羊人之领袖，而明日我将率领我的军队，前去征伐四湾镇的恶徒。然而，这些还算不得什么，听啊！我和我的妻子，主要是她领着我，找到了世界尽头的水井，成为那水井之民。”

说罢，拉尔夫热切地望向自己的父亲，只见那老国王上前几步，再次抱住了拉尔夫，亲吻了他的脸颊，就好似拉尔夫又回到了他的年少时期。“哦，我的孩子，”彼得王说道，“不管你做什么，总是能做得很好。瞧瞧啊，之前你还是我膝下最疼爱的孩子，离开的这几年，我爱你一如往昔。唯一的变化便是，你如今已变得如此英勇无畏，就连我也会微感畏惧。你看起来已比我们那贫瘠之地的子民们要强大多了。”

拉尔夫闻言开心地笑了，他说道：“父亲，不论我身处何方，我都将永远是您的孩子，是您忠贞不二的拥趸，是您骁勇征战的勇士，我的一切皆为您所赐。所以请振作起来吧，您的国家从未倾颓，而将万世流芳。”说罢，在场的四人都不免高兴起来，心情也不复之前那般沉重。

正当他们说话时，一名修士走了进来，他在彼得王面前单膝跪地，禀告帝后、拉尔夫以及乌苏拉，院长正设宴想要款待各位。毕竟这里所有人，都已耳闻有位大人前来相助的传闻，也正如此，主教和各位会友已迫不及待想要见见这位英雄了，只不过他们不知道的是，这位英雄就是来自爱普觅斯的拉尔夫。于是，拉尔夫四人一同进入大厅，拜见了正在等候的主教、会友们，在那儿他们欢聚一堂，宾主尽欢。气氛如此之好，彼得王当然不会拘束，他向主教和会友们说明，拉尔夫是他从远方归来的孩子，这位女士呢，便是他赢得芳心、娶作妻子的爱人。主教他们听完不禁连连点头，对拉尔夫大加赞赏，看到如此英俊潇洒的小伙子，又有谁不会在心里暗叹一番呢？于是，主教大人连忙让拉尔夫跟他说说，那世界远方的所见所闻。不过，因为心挂明日那迫在眉睫的战事，拉尔夫只说了一点关于微特城那儿的不为人知的风俗。最终，王子说道：“主教大人，待到烽火平息，狼烟不再，请将您的一夜空闲时间留给我，我将把我自去年夏日起，经过坞镇时所遇的一切皆告知于你。那么现在，请准许我先行离开，现下为了明日战事，作为一军之长，在补上一两小时的觉之前，我仍有很多事情要做。如若您同意的话，我将把我妻子、母后先留在这里，待到明早再把她们接走。”

听罢，尽管主教仍意犹未尽，但他还是应允了王子的要求。得到准许后，拉尔夫吻别了自己的父王和母后，父母也祝他一路顺风。乌苏拉温柔地说道：“明日，我想与你一同前往爱普觅斯，我很担心你。”拉尔夫对她温柔地笑了笑，转身便离开宴厅，走了出去。他的身后，所有人都在注视着他离去的背影，又有谁能不拜服于这样的风姿之下。

Chapter 27

与教母凯瑟琳的对话

拉尔夫由圣奥斯汀教堂直接来到克莱门特的家，未到近前，便看到门口人头攒动，熙熙攘攘的人群中有镇上的居民，还有他带来的队伍中的一些士兵。他穿过人群，在克莱门特的房间里找到了他，和他在一起的还有十来个人，这其中有智者和罗杰；但斯蒂芬和理查德却不在，他们在下属那里忙着准备战事。拉尔夫踏进门中，所有的人都起身相迎。他环顾四周之后没有看到教母，便上前坐在克莱门特身边，询问他前方是否有新的消息。克莱门特说，从爱普觅斯来了一人，那人带来消息说，现已确定那日中午敌人便攻到了爱普觅斯，敌人已于午后和守在爱普觅斯宫的尼古拉斯的队伍小战了一番，但那帮贼寇并没有占到什么便宜。这个人，克莱门特说，带消息来的人勇敢机智，混在敌军之中，偷听了他们的谈话。他说，那帮贼寇说他们万万没有想到牧羊人和枯木军也来和他们作战；他们正期待着海厄姆城也能派来救兵。他们还嘲讽爱普觅斯人的守卫，说当他们的部队汇集起来，损失不了几个士兵，就可以拿下爱普觅斯，到时想去哪就去哪，所以没有必要现在就冒险；他还听那帮贼人说他们并没打算烧掉爱普觅斯宫或其他的建筑物，据说，他们想据为己有。

这些消息在拉尔夫看来对他们十分有利，他端起一杯酒，向大家举杯，说道："诸位，要休息的人最好现在就上床睡下，我要提醒大家，明日太阳还未露脸之前就会响起离别的号角；如若不能看到明日之战，各位将抱憾终生。"

说到这里，所有人都向他欢呼致意，然后起身各自散去。拉尔夫请克莱门特跟他一起参观部队的驻扎情况，看看所有的头领们是否都已熟知各自的花名册，以及明日出发的命令。于是，克莱门特便起身和他前往。

在路上，拉尔夫问克莱门特教母出了什么事，怎么没有出来见他，克莱门特大笑，说道："没有，没有，她只是在一群人中与你相见有点难为情，她没有办法克制住自己不去亲吻爱抚你。不用担心，她就在高处自己的房间，办完事我们去看她。不用担心！还没有拥抱你，她不会睡下的。""那就好，"拉尔夫说，"我之前就一直在找她。我们离开人群，单独谈话才方便，我和她只要一见面，就会知无不言，言无不尽。"

他们来到部队首领们的居所，召集所有的首领过来，跟他们讲了明早如何行事，包括步兵还有骑兵什么情况下应该站在一起，怎么样痛击敌军。他娓娓道来，好像已经身处战争之中，敌人尽在眼前。他们惊奇地看着他，他是如此的年少，作战的经验却又是这样的老道，并且他毫不怀疑，明日所有人必将使出浑身解数。现在所有的人，不管是久经沙场的枯木勇士，还是那牧羊人兄弟，甚至就连那些生气都不曾动粗的人们也都是情绪高涨，对明日发生之事毫无畏惧。

完成这些备战之事，他们转身再次回到克莱门特家中。

还没有进门，他们就看到了屋里的灯光。当他们走进房间，瞧，凯瑟琳正在房间里走来走去，好像不知道该怎么克制自己的情绪。当她转身看到门口的拉尔夫，她大喊一声，张开双臂就跑了过来。但当她跑到他的身边，仔细端详他之后，她努力克制住自己，然后跪在他的面前，拉住他的手吻着，低泣着喊道："噢，我的大人，我的大人，你回来了！"拉尔夫弯下身子，扶起她并拥抱了她，并亲了她的脸颊和嘴唇，拉她坐下，自己则坐在她的一旁，手臂放在她身上。克莱门特在一旁看着，一脸笑意，在他们对面坐下。

接着凯瑟琳说道："噢，我的大人！你现在已经成了一名出色的将领，变得这么伟大。我从未想到你回来的时候已经变成了这么强大的一个男人。"说到这里，她再次喜极而泣。拉尔夫又亲吻了她，接着，她笑中带泪地说道："克莱门特大人，自上一次我见到他后，这位大人，勇士，还带回了什么我还没有见到。我猜，他可能带回来一个美丽的女人，或者不止一个。虽然他吻的是他的教母、养母，但他的吻比之前亲密和善了许多。"

克莱门特说道："所言不错，实际上，勇士，我已经把一些有关你旅程的故事告诉了她。"

凯瑟琳说道：“亲爱的大人，教子，你不跟我讲讲吗？”

“天啊！”拉尔夫说道，“那我今晚还睡吗？”

“亲爱的教子，”她说，“你现在已经强大到不需要睡眠。啊！我一高兴忘记了明日你还要奔赴战场，如果你没有回来该如何是好。”

“不用担心，”拉尔夫说道，“你不是可以预知吗？你不知道明日，或者后日我会毫发无损地凯旋？接着你和克莱门特会来爱普觅斯宫，想住多久就住多久；那时我会给你讲我游历的许多故事；还有我的挚爱乌苏拉，也会给你讲。”

凯瑟琳的脸微微红了，她说：“我可以给她行吻足礼吗，亲爱的大人？但现在，求求你，现在就给我讲一些吧。”

“应该的，”拉尔夫说，“既然你想知道，亲爱的教母。但是我讲完了，我也要问你点事，我已经好奇了很长的时间。我想我们俩把故事讲完之前，我又要戴上头盔——不，我再告诉你一次，我将经历的是一场战役！”

于是他坐在克莱门特身边，开始尽可能简短地讲述他的经历。凯瑟琳坐在那里，时不时地因为惋惜而低泣。

当他讲完，他坐在那看着凯瑟琳，觉得她实在是保养有方，驻颜有术，他说：“教母，我很好奇，你是否也喝了水井的圣水；以你的年纪来说，你实在是太过美丽。这是怎么做到的？还有，能告诉我你是如何得到那串珠链的吗？正是这串项珠带领我到世界尽头的水井。虽然我现在才问，但我已经好奇了很久，你是从谁，又是从哪里得到这串珠链的？”

“勇士，”克莱门特说道，“至于世界尽头的井水，她没有喝过，但是她本身就是极好的女人。勇敢，又拥有无穷的智慧。这样的女人不会很快变老，如同一件好的盔甲，经过手工匠人的千锤百炼，也注入了他的思想和智慧。让她给你讲讲她的故事吧（我不是很清楚），现在夜色也深了。”

Chapter 28

串珠的故事

凯瑟琳和蔼地望向他们说道："教子，还有克莱门特，我索性一次性给你们说清楚吧。我刚嫁给克莱门特大人那会儿，他可是个热情如火的情人，我们整日里如胶似漆，感情日笃。他不管上哪，不管这旅途是否艰险，都带着我。是的，克莱门特，尽管你一再否认，但一切正如你所见，我没有丝毫不愿，我的爱人，这一部分是因为我不想让你难过，然而，更主要的则是我甘愿冒着殒命的危险，也要去看看这世界之奇妙。有次我们一起出行，那次旅程非常遥远，同行的商贩有很多在路上便丧命了。然而我们却活了下来，最终来到了东部的一座古城，那里奇迹遍布，萨拉圣城就坐落于此。那些奇迹数目之多，恐怕说上三天三夜都难以穷尽。但是大人，我可以告诉你，那里居住着一个女人，她瞧着年纪不大，却知经纬，听闻此事后，我便欣然前往，准备从她那里获得知识的力量。我遍请名家，诵经文赠重礼，以期在他们的助力下，能够与她攀谈。只可惜了，不管是祷告还是赠礼，均是收效甚微，愿意助我的有心无力，能够助我的却又不愿帮忙。如此，想要拜访那位女士的念头，便在我心中疯狂滋长。有一次，我们碰巧遇见一位商人，他博古通今，无所不知，且与人为善。我向这位商人打探了有关那位智慧女士的消息，他知道我急于求得答案，于是便显露了自己商人的本性，想要与我做笔交易，用他所有我却没有的天赋技能换取一定的报酬。最终，还是想要与智慧女士交谈的渴望占据了上风，我应允了他的提议，甚至承诺可以开出更高的报酬，想着能在目的达成之前先稳住他，然后再想法子将他甩掉。那商人把我带到那女人住的地方后，便又踏上了自己的旅程。那位智慧女士独自蜗居于古旧宫殿的一角，那里居住过历代萨拉之王。当我前去拜访之时，发现她并不像传闻中所说的那般神情压抑，死气沉沉，反而，她整个人看上去容光焕发，举手投足间尽是优雅。她热情地招呼了我，就像是在坞镇的大街上遇到了隔壁邻居一般。我看见的她，年纪估摸四十上下，身形苗条，体姿优雅，骨架瘦削，丝毫不显壮硕，她一头暗红色的长发垂落于肩，小小的宝棕色双眸亦是炯炯有神。

“‘至今，’她对我说道，‘我寻你已有些时日了。如今，你既已来此，那便告诉我你之所求，我会满足你之所愿。但是，作为回报，你须得为我做一件事情，你可以把它认为是一件无比崇高之事。然而，如若我未能完成你之所愿，你便可自行毁约。你怎么说？’

“好的，我现在可算是明白过来，我这是上当了。克莱门特要是知道我做了什么，肯定勃然大怒。他可是个爱吃醋的情人，偏偏还很粗暴。”

克莱门特笑了笑，没有说话，凯瑟琳接着说道：“到底交不交易呢？要是我先前只是颇有兴趣的话，那我现在可谓兴趣满满了。于是当她令我起誓，遵从她的祈愿之时，我毫不犹豫地应允了。”

“此时，智慧女士说道：‘在我面前坐下吧，我会把智慧传授于你。’她教了我什么呢？你们猜猜看。好吧，要是我直接告诉你们，你们又怎能变得更加聪慧呢？她教过我后，我整个内心都充斥着智慧所带来的激荡与喜悦。所以你啊，克莱门特，我以前之于你来说，是个多么糟糕的女人和朋友啊。”

“不会的，我的好妻子，”克莱门特回道，“我永远都不会厌烦你。”

说到这里，凯瑟琳不禁笑了笑，继而说道：

“最后，那智慧女士说道，‘既然我已把所有能传授的知识都教与你了，那我们的交易角色就得互换了不是，现在轮到我提要求，你去实现我的一个愿望了。’

“我说：‘很公平，我一向信守承诺。’她说道：‘若你毁约，我便知晓，我将竭尽所能挽回局面，到时候只怕你会付出相当大的代价。’

“接着她一直和蔼地望着我，过了一会儿她开口说道：‘事实上，我要是对你并无信任，也就不会把任务交付于你。但是我还是决定试上一试，我已时日无多，再想找到一位诚实如你的女士恐怕不易，更何况你还如此美丽。’

“说罢，她从脖子上取了相同的珠子，也就是之前我给你的那串。亲爱的孩子，就是从那时起，我们的命运已经紧紧相连。那位女士接着说道：‘那么现在，请听好了！你拿好这串珠子，从今以后便按我的嘱咐行事。那么，现在便起誓吧。’于是，我对着诸神发誓，然后她接道：‘这串珠子总有一天会帮助一名男子，而非女子，抵达那世界尽头的水井。事实上，女人拿了这珠子并无多大作用，虽然它可用作路标，但却不能成为她的护身符又或指引石之类的。而我所说的这些，并非要你去寻那水井。所以，我才要求你在最为需要的时刻，把那珠子交给你的心上人，应该说是深爱之人，而这个人选，只要不与你同宗同脉便可。这便是我对你的所有要求，如若你信守诺言，那你必定幸福喜乐；倘若你出尔反尔，那你终将招致厄运。我现在还可以告诉你，我们之间的这次会面绝非偶然，而是我的意念所致。我费尽心思引你至此，就是知道唯独你这女子能助我一臂之力。现在，你便即刻启程回到你的家乡，时时刻刻都要记得我说与你的那些话。而那个把你带来见我的精明商人，他在你返乡之时，也会前去讨要你之前许诺的报酬。到时你在旅舍里看见他的身影，要是他牵起你的手，想要与你春宵一夜，恰巧那时克莱门特第二日清晨才会回来，你会不会就此认为我是个大言不惭的骗子？若你返乡之时，乡人们告诉你商人瓦勒留斯在收到一封求救信后，便急忙离开了，由此你便知我是个智者。所以，起程吧，我在此祝你一路顺风。’

“于是，我战战兢兢地回到了旅舍。在店门口，我遇见了商人的侍从，他对我说：‘这位夫人，商人瓦勒留斯一直在找您，他让我告诉您，他很期待与您的再次见面。不过，不巧的是，中途有个男人找上了我们大人，要求进行密谈。于是，他只好招来马儿，命我先来告诉你，夫人，我们大人此刻处理之事极为紧急，他将在五日之内赶回，以望能够轻吻到您的手背。’

“由此，我便知道智慧夫人所言非虚，她不仅聪慧非常，还能预言。此刻，她之前那些可怕的预言再一次浮现于我的脑海之中。不过还好，克莱门特很快就回来了，在我们赶忙离开萨拉圣城之后，便再也没有见过瓦勒留斯了。至于这串珠，在它传于你手中之前，并没有什么可说的。而且我知道，相比其他人来说，智慧女士更喜欢能由你来戴着它。”

凯瑟琳就说到了这里，其他人听到这里也都不禁陷入了沉思。至于拉尔夫，他坚信那位萨拉城的智慧夫人便是教授丰饶夫人知识之人。但是，关于为何非要将珠子交付于他，拉尔夫却不得其解。此外，拉尔夫还不禁思索到，为何丰饶夫人要将珠子传给乌苏拉，以及她是否知晓串珠其实并不能将她带去世界尽头的水井。而且，为什么会是乌苏拉呢？王子苦想着，没有护身符傍身的她，将历经几番周折才能将他带至水井之处。是啊，更何况在他熟睡之时，她又是如何先发现那水井的？然而，拉尔夫深知，当他随着她寻找水井的时候，她也必须与他一同前去，除非他们俩双双遭遇不测。这时，凯瑟琳望着他说道：“是的，我亲爱的殿下，我知道你在想些什么。但是在你们重逢之前，你完全是可以抛下她的，是不是？”“确实如此，”拉尔夫回道，“而且，她在没有护身符和巫术的帮助下做到了，难道这点就不让人觉得可敬可爱吗？”

此时，克莱门特接过话头，他说道："夫人，正如教子离开我们之时，我所说的一样，很明显，你爱拉尔夫更胜于爱我。不过现在情况早已大为不同，他如今带了一个女人回来，这个女人果敢美丽，那便是乌苏拉小姐。这下你可得接受命运的安排了。"凯瑟琳听言都快笑出了眼泪，她说道："好吧，克莱门特，作为妻子，我可自认待你不薄。更何况，你瞧瞧，亲爱的教友，当我与克莱门特在灾祸中挣扎沉浮之时，当我们最需援手之时，我想过把珠子交付于他。可是，当我把水井之事告诉他时，他却满腹怀疑，甚至还要求我去查实一番，看看是否确有其事。就此，我便打消了传给他的念头。"

凯瑟琳说话时，拉尔夫突然抬手，指向窗外说道："朋友们，当我们在此谈论奇事之时，竟已忘却了远方爱普觅斯的连绵战火。快瞧！东方既已发白，灯烛即将燃尽。"

他说话间，新的一天正静悄悄地降临在这片大地之上。随后，小镇四周远远传来四声号角，于是，人们纷纷从睡梦中醒来，慢慢汇集在了一处。拉尔夫和克莱门特也起身，他们带上各自的武器，在吻别了凯瑟琳之后，便一脸严肃地走出房间，与其他武装士兵一同，如潮水般涌向了集市。

Chapter 29

为爱普觅斯而战

天还没有大亮，所有人都来到了市场。顷刻，拉尔夫、理查德、克莱门特和斯蒂芬都已安排起手下各司其位。如今算上拉尔夫带到坞镇的队伍，加上镇里的人马、从爱普觅斯撤下来的战士（大部分是年长的男人和未成年的小伙子），整支队伍共计一千零八十三人。拉尔夫打算和昨天一样步行前往战场，不过今天，他手执刻有金字铭文的古老长戟，与他并肩作战的还有牧羊子民，以及爱普觅斯的老弱残兵们。老人家和拉尔夫早就相识，他们被拉尔夫高昂的情绪所感染，心中也燃起了熊熊火焰；不管过去的生活如何对待他们，这一日便注定是辉煌。这时又从圣奥斯汀教堂赶来两个人：乌苏拉和笑意盈盈的云梦乡隐士。乌苏拉这天在长裙下穿了锁子甲，戴着头盔，因此她骑了一匹小马。而后者呢，只见老人全副武装，披盔戴甲，看起来和威武的战将全无两样。拉尔夫将乌苏拉的安危托付于他。

至于拉尔夫的兄弟——修——则找来一匹战马，加入了枯木军的队列，据说是因为他们比那些放羊的，还有爱普觅斯的逃兵们更能深入敌军。

再说拉尔夫，他来回踱步，正在查看丘陵地一排排壮硕的勇士。他发现，虽然这些士兵的武器还算锐利顺手，但他们的盔甲却少得可怜。于是他便去找贾尔斯。之前我们说过，贾尔斯穿着长长的锁子甲，于是拉尔夫对贾尔斯说："朋友，今日穿盔戴甲对于遥远的路途来说，是不是过于沉重？而且太阳升起后，天气也会非常的炎热，你何不像我一样装扮？"贾尔斯闻言卸下了盔甲和锁子甲，只留了头盔。"如此甚好，"贾尔斯说，"如果我全副武装，太阳升起以后，人们大老远便能看到我，这对于骑兵或者墙上作战时有利，但是对于步兵来说，就没有必要了。"

这时牧羊人发出呐喊之声，并向贾尔斯挥手致意，为他的勇敢而欢呼。

贾尔斯伴着那欢呼声小声嘀咕着（声音虽轻拉尔夫还是能听到）："山下就是爱普觅斯。我回去的时候也要卸下武装。"拉尔夫拍拍他的肩膀，请他任何情况下都完好无损地回来。"是的，你一定会凯旋。"拉尔夫说道。

这时响起了嘹亮的号角声，各路人马听到出发信号后依次离开市场，穿过坞镇新建的木制城墙，来到了前方空地。理查德率领着十来个枯木军，走在离拉尔夫不远的地方，拉尔夫则走在牧羊人的最前面。

这样，一早他们便可以越过这片古老而熟悉的土地，对拉尔夫来说，统军率队前往爱普觅斯，自己家乡的那片方寸之地，感觉有些奇怪。他们行军迅速，秩序良好，太阳刚刚升起，这一队人马就已经开始往一座小山的山脊处攀爬，而在那座山的山脊之下，是一片美丽的草地，拉尔夫很多天前就预见那里充满了危险和倦怠。

这时，理查德和他的前方骑兵已经到达山脊，他们坐在马背上，身后是纯净的天空。拉尔夫看到了理查德是如何拔出宝剑，举过头顶，他和他的士兵们又是如何地呐喊示威；接着整队人马都开始齐声呐喊，他们快速冲上山坡，摇旗呐喊之后，重重的脚步声，盔甲的摩擦声，以及远处传来的呐喊声、号角声混杂在一起，响彻云霄。当拉尔夫和他的一行人聚集到山脊上时，他看到，山下那片他曾无忧无虑游戏的草地，如今却是黑压压一片，到处都是手拿武器的士兵，他们身上的盔甲在清澈的晨光里泛着金属的光泽，武器的箭头则反射着旭日的点点红光，如同猝熄前的稻草残留的火星。接着他往前看，看！爱普觅斯宫高高耸立在草地之上，毫发无伤，硕果树旗帜在最高的塔楼之上高高飘扬。

这时，他感到有一只手正抚慰着他的脸颊，定睛一看，乌苏拉就站在他边上，脸颊红润，眼睛里闪着光彩，她大声喊道："噢，你的家乡，亲爱的，你的家乡！"他转向她说道："是的，这就是我的家，亲爱的！""啊，"她说，"战争会持续很久吗？他们这么多人！""我们很强大的！"拉尔夫说道，"不会太久，但是也需要些时间，云梦乡隐士，请照看好我的夫人，让她今日就在我的近前，因为我在哪里，哪里就是安全的。"

智者颔首微笑，表示同意。

接着，拉尔夫沿着山脊左右看了看，发现这时部队都已上来，正在观察敌情。拉尔夫的队伍中，右边站的是牧羊人，他们注视着山下草地上的敌人，为接下来的战事对着大军压境的敌人大笑。左边是枯木军们，他们骑在马上，手中同样摇晃着兵器，就像狮子见到猎物一样大声吼叫；山下黑压压的敌军也在集合整队，同样也发出地动山摇的呐喊之声，与他们遥遥相抗。

这时，拉尔夫的军队已经迫不及待，蓄势待发；整个队伍，尤其是那些牧羊子民们险些就要势如破竹、整齐划一地冲下山坡去了。拉尔夫大声呼唤理查德走在左边，贾尔斯走在右边，并让他们稍等片刻，随后又命首领们来到他的近前。这时队伍里的骚动平息了，斯蒂芬·阿·赫斯特和罗杰带了三个枯木军过来，贾尔斯带了三个牧羊人，克莱门特也带了他的手下。他们过来后，站成一圈，环绕着拉尔夫，他对他们说：

“弟兄们，你们也看到了我们的敌人，他们已经准备好迎战我们，在坞镇很可能已经有奸细报告了我们的动向。然而，我认为，我们不必纠结于此；无论如何，他们都会垂死挣扎，但如果他们四散开来，我们的任务无疑会更为艰巨。现在你们自己也看到，他们的人数在我们之上，即便尼古拉斯派出爱普觅斯的人马——毫无疑问他会这样做的——我们的人数也是不够的。兄弟们，虽然他们人数众多，但我的内心告诉我，我们会所向披靡；而如果我们放弃自己的优势下山攻击敌人，无疑会疲惫不堪，我们中的一些人，也可能很多人会被杀死，如此生灵涂炭并非我之所愿，虽然夺回爱普觅斯宫要大费周折，但在这样的大喜之日，我只想以最少士兵的性命作为代价。因此我的计划是，我们就盘踞在山脊之上，等他们前来攻击我们。敌人只能选择攻击，因为其背后除却尼古拉斯和爱普觅斯的弓箭和利刃之外，别无其他，而我们背后有坞镇的队伍和盟军。有人反对的话，请马上提出你的意见；我看到他们的队伍一阵喧闹，估计他们很快就会派人来挑战，引诱我们下山作战。”

只见斯蒂芬说道：“我和全体部下一致同意按照你的计划行事，首领。虽然，说实话，我们一看到这些恶棍，就血脉偾张，恨不得马上出发，把他们杀个片甲不留。”

理查德说：“你要求我们使用智慧作战，那就让这座山来对抗他们吧。”克莱门特说：“没错，这些人作战经验丰富，装备精良；如若是群山中的山野之人，那就另当别论。”

众人纷纷附和。

接着斯蒂芬又说：“大人，既然你和我们的牧羊人朋友一起步行，我们枯木军决心快马先行；但是如果你反对——”

“勇士们，”拉尔夫说道，“我的确反对。你看看他们的骑兵有多少，到时只有你们才能追击他们；我不想让他们任何人逃跑。”

他们听到这些开怀大笑，接着拉尔夫说道：“去吧，告诉你们的队长、组长们我说的话，一会儿再迅速回来。现在我看到他们有三个人离开队伍，长矛上绑着白色的布条，这些估计是挑战者。”

于是他们照做，当他们回来，那三个人已经来到这座山的山脚下，该处地势很低。于是拉尔夫对他的将领们说：“在我面前挡住他们，先别让我看见他们，直到你们中有人回答他们‘和我们的首领说话’。”于是他们照办。这时，这三个人越来越近，已经可以看清楚他们眼中的轻蔑。他们三个装备精良，最前方的一个人从头到脚穿着白色的盔甲，看起来像是钢铁铸成；脸上也是没有一点血色，一脸蜡黄，面色阴冷。他和他的两个同伴，在拉尔夫部队的前方阵地来来回回骑了三个来回，没人搭理他们，他们也没有说一句话。等到第四个回合，他们来到拉尔夫前方首领的面前，拉住缰绳，面对着拉尔夫的人马，三个人中的首领摘下头盔，得意又粗鲁地喊道：

“小子们！我们三小时前就得到消息，你们要来了，因此我们在前方草地上布下人马，你们也能看到我们有多少人，何其威武！也许你们对我们有所畏惧，因此，你们那些群龙无首的枯木军，愚蠢的牧羊人们，还有坞镇的纺织工和学徒们，如果还有其他人，你们这些傻瓜，我们今天早上给你们两个选择！要么来到山下，让我们不费吹灰之力就杀死你们，要么把在你们中间的爱普觅斯的奴隶交给我们，然后掉头回你们自己的老家，待在那里乖乖等着我们把你们赶出来，这个选择对你们更好。妥协吧，你们还有些时日可以住在那。哈！你们觉得如何？蠢货们。”

接着克莱门特说道：“你们这些强夺豪取之人的信使，在平民百姓和普通士兵面前叫嚣什么，为何不跟我们的首领对话？”

挑战者喊道：“你们这群傻瓜的首领在哪里？他藏起来了

吗？他能听到我说话吗？”

他的话音刚落，这些将士们分站两旁，远远可见拉尔夫站在那里，手持着那古老的战戟。此时的他已摘下了头盔，在阳光的照耀下，清风吹拂着他那闪耀的头发。他一脸的荣耀，灰色的眼睛因为愤怒而闪闪发光，他的声音清晰而威严，使得大家屏神凝听：

“噢，强盗们的信使！我就是这些人的首领，我看你的嘴巴已经说不出话来了。但无关紧要，我已经听到了你的夸夸其谈，我的回答便是：我们不会撤退，也不会下山，就在这山坡之上等你们来杀我们。去吧，这就是我的答复。”

那个人在拉尔夫说话时，神色慌张地看着他，几乎在马上摇摇欲坠，他的头盔从头上滑落在地。待他得到回复，便掉转马头，和他的另两名同伴迅速离开，骑至山下，直奔四湾镇的队伍而去。这时拉尔夫的人既没有追赶，也没有呐喊；如今他们正渴望和期盼着接下来的时刻，于是他们就停留在原地，一声不响。他们很快注意到，信使们一回去，敌人那里就出现了不小的骚动。就在这时，拉尔夫他们还看见有军队从爱普觅斯宫出来，一直到石桥，守在桥的一端。之前我们说过，爱普觅斯河穿过高山与爱普觅斯宫之间的草地，河道逶迤，在靠近爱普觅斯宫的一头绕成了一个四分之一的圆，而就在它转头流向东方，最为靠近宫殿的河道上，修建了一座宽阔的桥，整座桥由石头砌成。

四湾镇的人并未注意桥那边的人，他们整装待发，许是因为听见了信使的回话，他们稍事停留，便穿过草地来到两军阵前。其阵型右侧都是骑兵，用以对抗枯木军，另外还有大量步兵以对抗牧羊人和其他步兵，后方则有兵强马壮的一队人马垫后。垫后的骑兵甲胄鲜明，秩序良好，个个英姿飒爽。

约莫一刻钟的时间，他们来到山脚下，开始大笑揶揄着爬山，拉尔夫的人马则是纹丝不动。骑兵们以马代步，较步兵更为迅速，不过到了半山坡上显得有些力不从心（因为尽管这山不高，但山路还是颇为陡峭）。这时枯木军再也按捺不住，他们发出一声巨吼，就一起冲下山去，没一会儿就淹没在了人数众多的敌军之中。

拉尔夫留在了队伍的最左翼，只见敌人呐喊着冲上山，许多人口中还叫嚣着之前的讥讽之词。敌方人数远远超过了拉尔夫的步兵，然而现在枯木军们已经出发了，不然还可以在两侧抵御贼人；即便如此，他们中没有一人退缩或者有所动摇，只是时不时对身边的人低语，时不时开怀大笑，这种豪迈的大笑只有在战场上才会有。

就在这山脊之上，双方都能看清对方的眼睛了，那帮强盗稍作休息，就在这会儿，拉尔夫来到两列队伍之间，站在了山坡的一个小山丘上（这里他再熟悉不过），把古老的长戟举了起来，大声喊道："为了家园而战，为了爱普觅斯而战！"

这时奇迹发生了，所有敌人的眼睛都转向了他，与此同时他们的呐喊、嘲弄和大笑戛然而止，取而代之的是从开始的鸦雀无声，呆若木鸡，到尖叫哀号，所有看到他的人，都扔掉了手中的武器，发疯似的朝山下逃去，撞翻了所有挡在路上的东西，直到整队人马都分崩离析，整座山上只见溃散逃窜的敌军，以及那些行装轻便的牧羊人在追击中屠杀敌人。

拉尔夫把克莱门特叫上前来，二人组织起了一支坚实的队伍，目标不是对付那些逃兵，而是对付将枯木军团团围住的骑兵。那些人左右夹击，但是一看到拉尔夫就全都丧了胆，纷纷扔掉武器，举起双手。简短地说，当这些骑兵察觉了新一轮的攻击，他们环顾四周，发现自己人不是在爱普觅斯的草地上抱头鼠窜，就是被牧羊人砍死，或是跳进深水里。于是，他们也转身开始逃跑，所有还能坐在马鞍上的四湾镇骑手全都往石桥那边撤退，枯木军们则紧紧追击。而等这帮贼人到了弓箭的射程范围内，河对岸箭如洪水般涌来，硕果树旗也在桥的一端飘扬了起来，旌旗后遥遥可见尼古拉斯和其人马的身影。这时的屠杀变得极为惨烈，曾经高傲无比的四湾镇人如今在地上卑躬屈膝，乞求饶命，直到枯木军和尼古拉斯的手下再也不能屠杀那些毫无防卫能力的人。

这时，拉尔夫抬起手来，示意不要再追击，他坐在草坪的土坡上，一旁坐着云梦乡隐士和乌苏拉。乌苏拉此刻脸色苍白，看起来有些恐惧，她声音颤抖着对拉尔夫说："天哪，朋友，这太残忍了！当我们晚上听到爱普觅斯的猫头鹰叫时，会不会觉得是这场可怕的战争的亡魂在我们美丽的土地上游荡？"但是拉尔夫义愤填膺，他手中握着古老的宝剑，既没有戴头盔，也没有其他的武器，一身便装坐在那里，说道："那他们为什么不杀死我？强盗的亡魂在夜里游荡，总好过我们的臣民白天做奴隶，我们的女人被鞭笞，孩子被毁掉。这些就是他们想从我们这里得到的，然而，等着他们的只有死亡——就让他们去死吧！”

他一边说着，一边大笑出声，可是笑着笑着，战后的悲伤却席卷而来。他浑身发抖，连连摇头，泪如泉水般涌出，打湿了他的双颊；而他的身体开始变得僵硬，脸色也是非常的难看。

乌苏拉抓住他的手，摩挲着它们，又吻着他的脸，给他讲他们是怎么去的甜栗子谷。过了一会儿，他终于回过神来，就像上一次一样，他回吻了她，给她说起了爱普觅斯宫角楼上的古老房间。

这时远远走来两位勇士，二人在土坡前拉住了缰绳，一人翻身下马，看，正是长腿尼古拉斯，他胡髯全都变白了，身体瘦削。尼古拉斯快步上前抱住拉尔夫，吻着他，老泪纵横，嘴里却说不出话来，只是问道：“我的小主人，你就是今天那个英明的主帅吗？还是那个勇猛的救世主、掠夺者之统帅？”前来的另一个人正是斯蒂芬·阿·赫斯特，他大笑说道：“不，尼古拉斯，我才是那个傻瓜，这个小伙子是真正英明的勇士。但是，拉尔夫大人，希望你恕我直言：万万不可赶尽杀绝，毕竟敌人已经丧失斗志，毫无还手能力；至于如何处置他们，全凭你定夺。”拉尔夫蹙眉沉思片刻，问道：“你抓了多少人？”斯蒂芬回答：“有两百人左右。”“好吧，”拉尔夫回道，“卸掉他们的盔甲和武器，让二十个骑兵回到无主密林。给他们的人带话，不用多久我就会清理掉森林里所有的强盗。”

斯蒂芬去办他的差事，这时贾尔斯和他的一个牧羊人也来了，问了类似的问题，也得到了一个类似的答复。

处理完这些战后事务，还有一小时就是晌午。拉尔夫起身，把理查德拉到身边，相聊片刻，然后回到乌苏拉这里，拉起她的手："亲爱的，理查德会带你到水边一个舒服的居所，我可不想让你独自一人前往爱普觅斯宫。而我呢，现在必须回到坞镇去接父王和母后，我曾许诺过战争一结束就去接他们。事实上，这用不了多久。"乌苏拉说道："亲爱的朋友，本来我应该主动提议如此行事。快走吧，这样你才能快点回来；我已经急不可待地要去你的家了，亲爱的。"拉尔夫转向尼古拉斯，说道："若不是你悉心栽培，我们的主帅也不会如此强大；另外我觉得我们的人马不比从坞镇出发时少多少。"

"小主人，确实如此，"尼古拉斯说，"听说战争中发生了奇迹：你的牧羊人和步兵居然无一人牺牲，只有五人受伤。枯木军中共有三人阵亡，十五人受伤；伤者中有你的哥哥，修，但是还好伤得不算严重。""那再好不过了，"拉尔夫说，"现在让他们牵一匹马过来。"他上马后，和乌苏拉吻别，然后就出发了。她呢，则住在水边理查德家里等他归来。

Chapter 30

重返家园

归途不再像之前那么漫长，当拉尔夫回到坞镇时，天色还不算太晚。拉尔夫骑马在克莱门特家前停下，他下马走进凯瑟琳教母的房间。王子进屋时，看见教母正双手撑膝，坐于窗边陷入沉思。于是，拉尔夫开口说道："教母，欢呼吧！克莱门特和我都毫发无伤，我们赢下了这场战役！"听罢，凯瑟琳终于有所反应，渐渐地，泪水溢出她的眼眶，滚落过她的双颊。"怎么了，教母？"拉尔夫疑惑道，"这等捷报，不应落泪啊。发生什么事了？""没什么，"凯瑟琳回道，"听到你的消息，我很开心，事实上，我已别无所求了。但是，我亲爱的殿下和教子，请原谅我在听闻你之捷讯时所流下的泪水，我这只是喜极而泣罢了。忆起往昔种种，今日我对这胜利越发珍惜。之后，你在爱普觅斯将会看到更多的人，他们个个喜气洋洋，那喜悦之情远甚于我。所以，快开心起来吧，快去接回你的父王、母后，与他们分享你凯旋的喜悦，你所做的比你承诺的还要好。再见了，我的殿下。几天之后，我们将会在爱普觅斯再次相遇。我知道你是如此伟大，现在的你已经熟知为君之道。祸福相依，你已不惧。所以，再见了！”

辞别了凯瑟琳，拉尔夫便赶往圣奥斯汀教堂。那里的人们纷纷走上长街，庆贺拉尔夫的凯旋，因此，在修道院大门处，王子不得不下马，与乡民们说话：“好心人们，欢呼吧！坞镇的敌人已被铲除，相信我吧，你们从今将活在祥和与安宁之中。”

乡民们闻言纷纷大声欢呼起来，就连立于门前的教士们闻言也是激动万分，他们中有些人甚至跑去通知彼得王他儿子得胜归来的消息。所以，当拉尔夫终于得以在接待厅前下马时，瞧！彼得王和王后已经闻讯赶来，二人已做好返回爱普觅斯的准备。当帝后看见拉尔夫时，彼得王不禁高呼：“先不必说，我的孩子。你瞧见院长也来了，一同给我们讲讲事情的经过吧。”

拉尔夫应道：“父王、母后，谢谢你们，以及在场的诸位，谢谢你们为我祈福。这次战事其实没什么好说的，我们打败了强寇，歼灭了他们的大部队，而那些余党正在往无主密林方向逃窜。事实上，我至多一个月便能扫平那里。而且最为重要的是，整场战役中，我方只有三人阵亡，少数人受伤，这其中就有你们的儿子修，不过所幸他的伤势并不严重。”

“哦，是的，我的孩子，”王后说道，“他做得也很好了。院长，您不介意的话，我们便就此离开，这样今夜，我们便能睡在爱普觅斯的宫殿之中，摩挲着我心爱的孩子的手心了。正是他不远万里，匆匆赶来，保护我和他的父王。”

至此，拉尔夫双膝跪地，彼得王和王后纷纷上前亲吻、祝福了他，接着他们三人拥抱着喜极而泣。至于修道院院长，他除了是一位上了岁数的老人家、身份尊贵的高级教士，他还与彼得王保持着多年的友谊。看到这一幕，院长也不禁湿了眼眶，他悄身上前为拉尔夫王子献上了自己的祝福。过了一会儿，拉尔夫终于起身，此时马儿也已被牵来，这时院长对王子说道：“你只消记住一件事，年轻的统领，终有一日请你早些回到这里，在下想听完你所有的故事。”

“好的，院长，”拉尔夫回道，“爱普觅斯也是您的家乡，如有必要，你大可在那儿待上三四天，直到你听完我所有的故事。”

“听到没，”彼得王对王后说道，“他开始有自己的想法了。我已经老了，亲爱的。”彼得王笑着说道。王后也不禁回道：“事实上，他还是那个瘦弱的小伙子，只不过如今已大权在握，统领一方。”

说罢，他们在乡民的送别下各自上马，朝爱普觅斯骑行。其中，有两名老人疾驰赶上，嘱咐拉尔夫应如何在途中消磨时间。一番骑行之后，拉尔夫一行终于在日落前的两小时来到了爱普觅斯的平原之上。这时，彼得王发话道：“至此，我已不能肩负起这个国家之责任，但是你，我的儿，虽然你并没有对我许下明日定会领我归家的诺言，但是此刻，你无疑拯救了我们所有人。”

这期间，拉尔夫带着他们从浅滩绕路而行，这样他们便不会瞧见那些强盗的尸体。不过所幸，爱普觅斯的乡民们已经开始动手挖坑，用以填埋这些尸体。

拉尔夫径直带着他的父王、母后来到了爱普觅斯宫门前。这时，王子下了马，他快步走向双亲的马前，想要扶他们下来，轮到彼得王时，拉尔夫不禁对他说道："父王，你看上去身手矫健，孔武有力，想必今年还能与我一道进那无主密林狩猎一番，让儿臣一睹你钢盔下的雄姿。"

彼得王听闻一阵大笑，他回道："可能吧，我的儿。但现下，还是让我们先回家看看再说吧。"

"现在不行，"拉尔夫说道，"父王、母后，还请二位先行进殿，在殿中坐下等我吧。尽管如今战火已熄，可我却不能立马回到你们身边。我不能允许自己的妻子，被他人牵着，一步步走进这殿宇，被引至我父王身前。现在，我将去红脸理查德的家里，把乌苏拉给接回来，我心爱的女人一直在那里等我。待会儿，我就将领她进来，到时候一切再遵从你们的安排。"

说完，王子便转身离开，骑马径直朝半公里外的理查德家疾驰而去。待王子走后，彼得王和王后不禁大笑出声，这时，彼得王开口说道："又来了！夫人，你看看，现在真是什么都得听他的。"

"大家开心就好了！"王后应道，"人的一生，唯有快乐才如此重要。"

说罢，国王、王后二人便穿过花园，走进内殿，在那里他们受到了尼古拉斯的热烈迎接。嘿，这家伙的狂喜之情简直溢于言表。见此，帝后二人不禁把拉尔夫方才的话告诉了他，并命他尽快打扫房屋。大厅周围这时站着许多乡民，他们满怀善意，纷纷想要邀请帝后屈尊前往自家做客，他们的房屋都是从烈火和强寇的刀剑下堪堪保存下来的。

Chapter 31

携乌苏拉回宫

拉尔夫很快就来到理查德家中，进了房间，发现乌苏拉独自一人在那里，穿着金阁城的那件华美优雅的裙装。她起身来迎他，他将她抱在怀中，说道：“如今到了我们日夜期盼的旅程的终点，回宫已是万事俱备。”

“啊，”她紧紧贴在他的胸前，说，“但我们的旅程曾是非常的幸福，明天将会是新的开始。”

“不仅仅是如此，”他说，“不过难道你不愿意这样吗？”

乌苏拉回答道：“那里会有很多我不认识的人。”“那里只有我，”拉尔夫说，“那时夜幕很快就要降临了。”

她吻了吻他不再说话。这时理查德的手下来了，拉尔夫二人现住在理查德的屋子里，那些人牵来了一匹白色的小马作为乌苏拉的坐骑，小马装扮得精致喜庆。

“来吧，”拉尔夫说道，“不用害怕父王古老的宫殿，它亲切又舒适，我的父王、母后你也已经见过，他们爱你。来吧，不然等到宫殿里光线暗下来,大家就不能一睹你的芳容了。”“好吧，好吧，”她说，“戴上我给你做的花冠，我自己也有一个，这两个花冠是打完仗以后，我在这儿用爱和希望所编就的。”她给他戴上，说：“噢，你真是英俊，黑夜林中相遇这件事我做得不错。”接着他亲昵地吻了她的唇，领她出了屋，其后没有侍从相随，这对伉俪独自上马，踏上了返家之路。

拉尔夫说：“我们需要骑过草地前往大桥，因为通往宫殿的大门就在那条路上，凭我对父王和尼古拉斯的了解，他们会在那里等我们的。亲爱的，你还害怕今天早上死于我方营下的那些亡魂吗？”“不，”她回答，“从清晨到现在已经过了很长时间，他们，还有那些凶残杀戮，都已经烟消云散，对我来说已如同传说般遥远。而我现在要投奔的是那些活着的人，是要和他们一起快乐地生活。”

他们来到石桥，石桥这头空无一人，只有一只老黄牛在那里游荡，轻啃着黄昏时分的湿润草地。穿过桥和果园，还是不见人影，所有的门全都敞开着。于是他们来到外庭，同样也是空无一人，当他们来到敞开的大殿门口，却见大厅里人满为患，伴着另一边窗户里洒进来的落日的余晖，只见殿内人头攒动，兵器和铠甲反射着金光。

拉尔夫两人跳下马，携手走进殿内，两人笑容明媚，神情平和，气质却超凡脱俗；这时所有的人都欢呼起来，把武器抛向空中，还有许多人在一旁喜极而泣。

他们缓步前行，走过大厅（足足有30英寻[①]），拉尔夫环顾四周，他看到了牧羊人、枯木军、坞镇人，还有爱普觅斯的乡民；他们都在向他和那位迷人勇敢的女士欢呼致意。接着，他看到高高的王位上空无一人；王位之后有一骑士披挂整齐，身上的盔甲闪闪发亮，手中高举爱普觅斯国旗；而父王和母后正站在高台的一边迎接他和乌苏拉。当他们来到近前，两位老人拥抱亲吻了他们两个，并把他们领到桌前。拉尔夫示意乌苏拉坐在母亲身边，自己准备恭恭敬敬地坐在父亲边上。但彼得王拦下他，说道："不，吾儿，你是爱普觅斯的拯救者，深得民心，你应该坐于王位上。虽然不过是方寸之地，但在这里你至高无上。"如此这般，他让拉尔夫坐上王位，拉尔夫侧身向左，发现坐在身旁的是乌苏拉，而不是母后。二人定身入座，台下的欢呼声地动山摇，响彻云霄。太阳落下山时，他们还在为爱普觅斯之王欢呼。

这时华灯初上，大摆宴筵，所有的人都来到席间，大厅里美酒数不胜数，再也没有人能像他们这样，初次见面就能把酒言欢。

酒足饭饱之后，"爱普觅斯河"之圣杯被请了进来，这杯曾被授予彼得王，如今彼得王立起身，手持圣杯大声说道："大人们，勇士们，我的好子民们，在此我宣布，今天这一切，并非因为我儿归乡拯救了我们，而是因为他实则已经超越我。他

① 英寻，长度单位。1英寻约合1.8米。

坐上王位并非仅因这一件事，而是因为我看到，也意识到只要他活着，他就是所有的宗亲国戚中最适合王位之人，除非这位迷人勇敢的女人给他生一个胜过他的儿子——这也是很有可能的。因此我宣布这个男人为爱普觅斯的国王，这个女人，他的妻子为王后；在我看来，他的英勇、智慧和仁慈，会让他不仅仅成为爱普觅斯的主人和仆人，他更应该把所有正义的城镇、受人尊敬的领主们召集在一起，创造一个和平、强大、幸福、安定的世界，这将是前无古人之事。现在，三日之内圣劳伦斯教堂的唱诗楼会唱起弥撒曲，拉尔夫国王要对着福音书起誓，誓言正如你们所知：保卫国民，帮助有需要之人，不欺凌任何人；一如我当初立下的誓言。我还想说，如果连我这般的国王都能谨遵誓言，那么他将做得比我更好，他会更好地遵守，因为他实则比我更为强大。另外他立下誓言后，按照古老的传统，下属们也要向他立下誓言，对他赤胆忠心，不遗余力地履行职责。但届时我将不会辅佐朝政，现在我就要跪拜他和他的妻子了。”

这位前任国王果真这么做了，他拉着拉尔夫的手，向他起誓自己将终生为他效力。他也跪在乌苏拉面前，感谢她对爱子的付出和帮助。拉尔夫夫妇扶起了彼得王，对他还有拉尔夫的母亲极为尊重地回了大礼，此时大厅里一片欢腾。

接下来，宴席继续，直到深夜，人们才彼此告别，回房休息。彼得王和他的妻子带着拉尔夫和乌苏拉来到太阳宫，也就是国王的寝宫，屋内布置得精美绝伦，其中有一张造型优美的奢华大床，床上新铺满了夏日的繁花。踏入门槛前彼得王让新人停下，对他们说道：“我儿，还有你，亲爱的朋友，此处将成为你们的卧房、休息之所；今晚，还有之后的日日夜夜，让这里成为你们的爱巢。于你而言，今日可算得上新婚，从现在开始你也成为宗亲中的一员，成为爱人者和被爱者。还有你，乌苏拉，如今终于成为这古老宫殿的新娘。现在告诉我，这座宫殿在你的眼里可算得上温馨宜居？”

“噢，是的，千真万确，”她回答，“来吧，我的勇士，我的爱人，让我们进到这古老宫殿的国王寝宫吧。”

这时拉尔夫把她拉到身边；老国王为他们送来祝福，祈祷他们生下健康的子嗣，好让爱普觅斯宫长长久久，永远生息。

如同他们之前独自躺于沙漠中那会儿一样，他们两人就在宗亲的爱和希望中独享爱巢。

Chapter 32

后 记

忙完这一切，拉尔夫便连忙赶往坞镇的圣奥斯汀教堂，他显然不愿失信于院长，准备事无巨细，把自己一路上的所见所闻都告知于他。你知道的，这故事这么长，没几天是说不完的。当拉尔夫开始讲述之时，有一位教友坐在院长身边，他奋笔疾书，下笔熟练，看上去就是个学富五车、知识渊博的人物。因此，很有可能正是因为他，我们所讲的大部分故事才得以流传下来。倘若确实如此，那真是太好了。

接着，爱普觅斯的拉尔夫王子还说到他已经统领四方，公允秉正，威权赫赫，虽其境内战火已熄，但将随时向被强寇侵扰、压迫的土地施以援手。在那巍峨的宫殿前，在那温暖的壁炉旁，拉尔夫是个善良的小伙子。可在这万里疆场上，他无疑又是一个英明睿智、骁勇善战的战士。这位威名远播的少将，他领兵数千，终还这热土一片清静。他所受的拥戴，恐怕这世上无人能够比拟。他这一生，统领着悬崖要塞，并扫除了凶境密林的强寇，使这儿处处享有和平与安宁。四湾镇的新子民们都推举拉尔夫成为新一任领主及领队，就连枯木军们也向王子宣誓自己将一世忠诚。之后，拉尔夫又骑马赶往海厄姆城，在那儿，他自告奋勇成为主教之统帅。于是，王子又率兵击退了那里的暴徒，终使海厄姆城重归平静。再加上先前，拉尔夫就已是牧羊人的队长和兄弟，曾多次率领他们冲锋陷阵，所以只要他们仍有需要，拉尔夫将竭尽所能，不会袖手旁观。除此之外，拉尔夫还扫清了无主密林的盗贼、四湾镇的余孽，同时还把三座林边城镇从暴君的手下拯救了出来。

随后每年，拉尔夫和他的夫人乌苏拉都会前去拜访丰饶城堡。拉尔夫每次都怀着无比虔诚的心情走进那座城堡，在那里，他可以尽情怀念那位已然故去的女子，那个他曾经深深爱过的人儿。而他这一路识得的友人，也无不认为他善良，且叫人尊敬。

如今自那场护国之战，已过去了两年的时间。有一天，尤特堡城主牛蓬头前来拜访，随行的还有奥獭和红头发。他们前来拜访的那天，正值拉尔夫踩上马镫，准备出城退敌。于是，牛蓬头三人连饭都没吃，在原地喝了几杯酒之后，便随着拉尔夫奔赴战场去了。得胜归来后，他们这才一起回到爱普觅斯，举行了一场盛大的宴会，牛蓬头三人在这里停留了两个月。又是三年过去，在爱普觅斯最为安定之时，拉尔夫带了一行人马，乌苏拉和克莱门特也随行在侧，他们横跨荒漠，翻山越岭，终于来到了尤特堡。在那儿，他们一同缅怀了过去的美好时光和埋葬于此的故人牛鼻子，见证了他守卫的极厄高地的数十年的和平与兴亡。

克莱门特和凯瑟琳经常来爱普觅斯，这两人中，要算凯瑟琳来得更勤。我们的教母如今福寿绵长，淡泊世事，还非常地喜爱乌苏拉。

拉尔夫统治下的爱普觅斯，国力一天比一天强盛。这位君王风姿出众，岁月并没有在他的身上刻下多少风霜。纵然岁月无情，年华易老，但在所有人眼里，这位君王的存在已然超越了生死，他的音容在这盛世里热烈地绽放。

至于他的王后乌苏拉，她一如东境森林那夜所见般果敢与美丽。她为拉尔夫生了八个健康可爱的孩子，见证了这个国家四代之兴荣。她与拉尔夫一样，身强体壮，甚至比她刚来爱普觅斯时还要更美。每个有幸目过睹她容颜的男人，无不为她的美丽倾倒，那份美丽实在值得用一生去铭记。直到有一天，这对帝后终于离开了这片他们热爱着的土地，他们一同被埋葬于爱普觅斯的圣劳伦斯教堂里。而这里，便是这篇《世界尽头的水井》的终结。